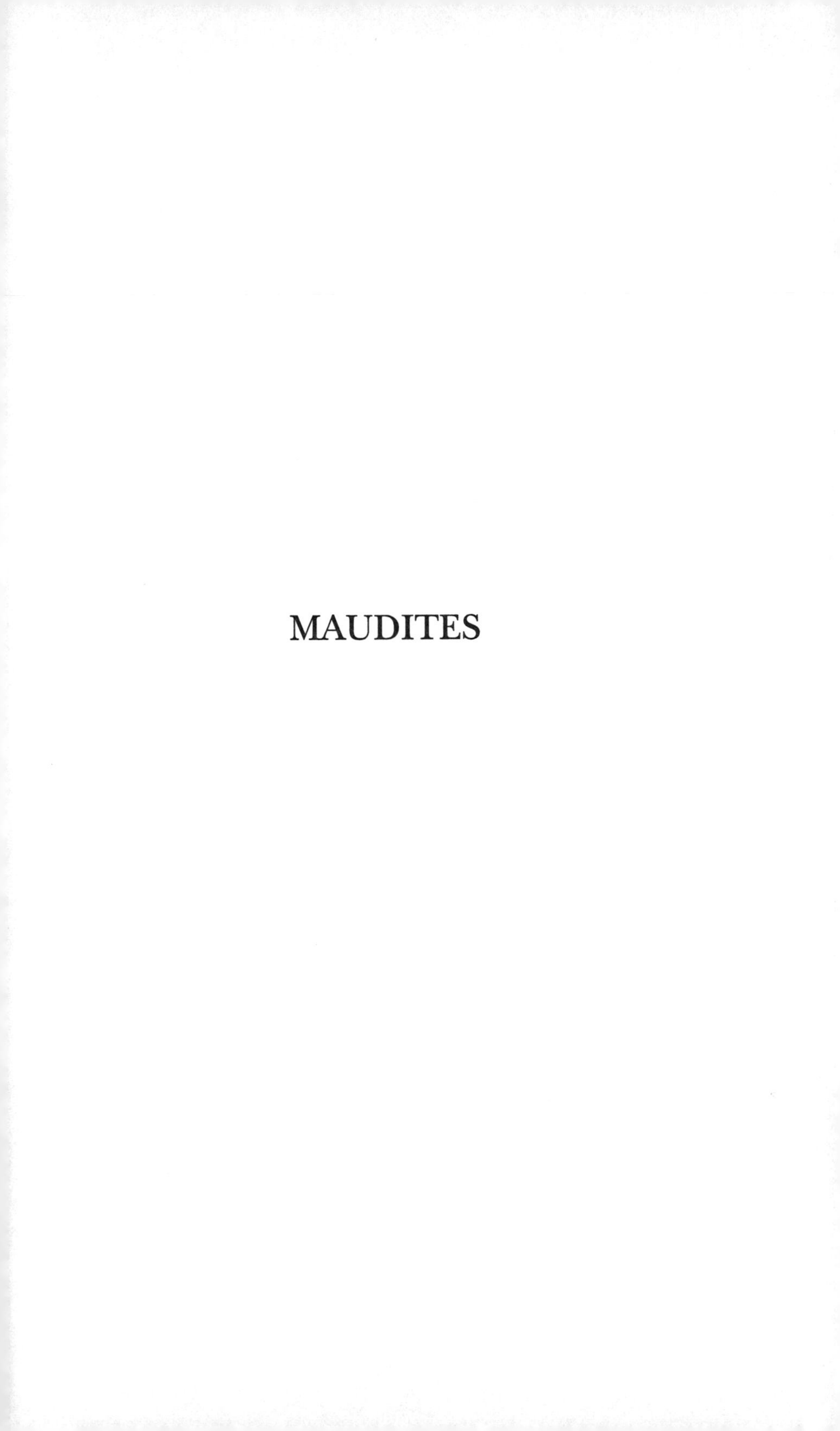

MAUDITES

Jeannette Bougrab

MAUDITES

Albin Michel

À ma mère, Zohra
À ma fille, May

À toutes les femmes qui résistent,
qui se battent et nous montrent le chemin

Introduction

Je ne pensais plus être capable de reprendre la plume pour défendre les principes et les valeurs – la liberté, l'égalité et la laïcité – auxquels, pourtant, je suis si viscéralement attachée. Je suis allée jusqu'à risquer ma vie pour recueillir les témoignages de filles interdites d'école dans des terres gangrenées par la violence des hommes. Du Pakistan au Yémen en passant par le Kenya, j'ai tout bravé, y compris l'interdiction de la Direction générale des services extérieurs, la fameuse DGSE. Lors de l'un de mes voyages, la cellule de crise du Quai d'Orsay s'est immiscée dans le tournage de mon film en enjoignant à Canal+, pour qui je réalisais ce documentaire, de me rapatrier d'office du Pakistan. Alors que je me trouvais à Islamabad, un attentat fit plus de vingt morts sur la route que j'avais empruntée la veille. Fallait-il pour autant renoncer ? Était-ce inconscient ? Il arrive un moment où l'on ne pense plus à la peur.

J'ai poursuivi mon périple. J'ai rencontré Sami ul-Haq, l'un des chefs spirituels des talibans, dans son fief de Nowshera au Pakistan, rencontre glaçante. Je suis allée là où règne Al-Qaïda à Sanaa, où quelques jours avant mon arrivée, des hommes armés ont pénétré dans un hôpital et massacré vingt-quatre personnes ; j'ai croisé les chebabs du nord du Kenya, à quelques kilomètres de l'université où cent quarante-huit étudiants ont été exécutés par ces mêmes terroristes ; et, plus tard, j'ai vu les maras, ces gangs ultraviolents de Guatemala City qui mettent des quartiers entiers en coupe réglée et ne connaissent que les lois du meurtre, du viol et de la vengeance.

Mais je n'aurais jamais pensé un instant qu'un événement d'une autre nature, les attentats du 7 janvier, dans mon pays, en France, si loin de ces « zones à risque », aurait pu me faire mettre les deux genoux à terre. J'étais si bas qu'il m'arriva d'espérer ne plus pouvoir me relever et me laisser mourir. La mise au ban comminatoire de la famille de l'homme que j'ai profondément aimé a fini de m'anéantir. Ses amis l'ont mise en œuvre avec même un trop-plein de zèle. Si bien qu'elle a éteint la flamme qui m'anime, au moins provisoirement. Cette flamme qui me permet systématiquement de monter au front pour me battre en faveur de celles que l'on se refuse d'entendre : les filles.

Dans ces moments tragiques, seules la présence de ma fille, May, juste âgée de trois ans et demi – mais que je devais épargner malgré tout –, de quelques rares amis fidèles et la lecture m'aidèrent à me reconstruire. Je tombai sur les Mémoires d'Hélie Denoix de Saint Marc, un homme controversé qui préféra désobéir à l'institution militaire, « au risque de se prendre douze balles au fort de Vincennes », plutôt que d'abandonner une partie de ses soldats, des musulmans qui, comme mon père, combattaient dans l'armée française. « Faire partie des vaincus a au moins un avantage, note-t-il. On n'y trouve pas ces accommodants et ces intrigants qui foisonnent dans les parages des vainqueurs, et rarement cette fièvre de paraître qui est une maladie mortelle pour l'être humain. Par nécessité, les hommes et les femmes que l'histoire a reniés sont souvent obligés de se tenir à la pointe d'eux-mêmes[1]. »

« À la pointe d'eux-mêmes »... Ces mots simples sont d'une grande justesse. Vaincue, je le fus. Reniée, je le fus. C'est pourquoi j'ai tenté de rester, comme j'ai pu, « à la pointe de moi-même », en continuant avec encore plus de force à défendre le droit des femmes face à un fléau devenu permanent : l'islamisme. Cet islamisme qui fait des femmes sa première cible.

En Irak, en Syrie, au Nigeria, en Iran ou encore en Arabie Saoudite, les femmes sont kidnappées et vendues comme de simples bêtes, assassinées, torturées, lapidées, brûlées à l'acide... L'islamisme inspiré par une doctrine fondée sur le patriarcat et le plus sombre des obscurantismes, où l'inégalité et l'exclusion sont institutionnalisées et légalisées, se propage comme une traînée de poudre dans l'indifférence des chancelleries étrangères. Ce triste tableau ne se limite plus à un ailleurs, celui des terres de la péninsule

1. Hélie de Saint Marc, *Les Sentinelles du soir,* Les Arènes, 1999, p. 97.

Arabique par exemple. Le Vieux Continent en est devenu le premier berceau.

Les nouveaux fidèles sont d'ailleurs désormais recrutés en Europe, en France, au Royaume-Uni et en Belgique. Ils n'hésitent plus à commettre les pires exactions, comme la décapitation d'otages capturés par l'État islamique en Irak. Ainsi, l'ennemi public numéro un est un sujet de Sa Majesté la reine Elisabeth II. Il se fait appeler « Jihadi John ». En réalité, il s'agit de Mohammed Emwazi, un jeune homme de vingt-sept ans habitant à Londres. Ce diplômé en informatique, décrit comme « extrêmement doux et gentil » par ses anciens professeurs et amis d'université, serait l'un des pires bourreaux de Daesh[1].

Pour échapper à ce climat délétère et tenter de reprendre de l'oxygène, afin de continuer tout simplement à vivre, je me suis réfugiée à Londres quelques jours. Et là, miraculeusement, j'ai retrouvé la force de me battre en visitant une exposition consacrée aux combats pour les droits civiques au XXe siècle. J'y étais allée pour faire plaisir à un vieil ami, cabossé par la vie comme moi mais pour d'autres raisons. Je déambulais dans les couloirs de cette galerie comme une âme en peine quand mon regard fut attiré par une série de clichés de Martin Luther King. On voit cet homme beau, jeune et mince brutalisé et arrêté

1. Daesh (aussi appelé État islamique) est un groupuscule terroriste né en Irak, lié à Al-Qaïda mais qui s'en est émancipé. Son chef est Abou Bakr al-Baghdadi qui a proclamé le califat islamique dans les territoires sous son contrôle, tant en Irak qu'en Syrie.

par des policiers. Des agents lui tordent le bras et le plaquent contre le guichet dans le hall d'un commissariat. Du fait de son combat contre la ségrégation raciale, le pasteur Luther King fut assassiné quelques années plus tard par un déséquilibré, le 4 avril 1968. Il n'avait que trente-huit ans, il était père de quatre enfants.

Ne pas se taire, se battre… Une meute aboyant sur une femme qui a aimé un homme perdu brutalement lors d'un attentat perpétré par des terroristes munis de kalachnikovs – un homme qui appartenait à un monde qui n'était pas le mien – ne pourra jamais me réduire au silence ni m'empêcher de dénoncer ces forces ténébreuses qui gangrènent notre société.

Je me dois de le faire en particulier pour une femme à qui je voue une admiration et un amour infinis. Elle vit en ce moment un calvaire dont elle ne se remettra pas. Cette femme, c'est ma mère. Elle est atteinte d'un cancer du pancréas et il n'existe aucun traitement pour la sauver. Les statistiques de l'Inserm sont cruelles : plus des trois quarts des patients qui en sont atteints décèdent au cours de l'année qui suit le diagnostic, et à peine 2 % sont encore en vie après cinq ans. Mais maman est toujours vivante au moment où j'écris ces lignes. Oui, miraculeusement, elle est encore debout. Certes fébrilement, mais elle met le petit souffle de vie qu'il lui reste pour lutter contre la maladie et ainsi partager ses derniers instants avec nous, ses enfants et ses petits-enfants qu'elle chérit tant.

Je vais inéluctablement la perdre dans les prochains mois, dans quelques semaines, personne ne sait. L'enterrement aura lieu à Déols, dans l'Indre, où mes parents ont toujours vécu après avoir fui l'Algérie pour échapper aux massacres des harkis par le FLN. Cette fois-ci, on ne pourra pas m'interdire d'aller au cimetière. Si je pouvais, je ferais ériger à sa mémoire le plus beau des mausolées, un Taj Mahal pour elle, pour que sa dernière demeure soit la plus somptueuse, elle qui ne connut que la pauvreté. Je sais qu'il faudrait profiter pleinement de chaque instant sans penser à demain, mais je n'y arrive pas, l'idée qu'elle va partir me hante. Et je ne sais même pas si je tiendrai le coup. Pour le moment, je fais face alors que les tempêtes, les tornades et les tsunamis continuent de s'abattre sur moi.

Maman souffre. Elle souffre depuis des mois. Sa vie est ponctuée de séances de chimiothérapie, d'allers et venues aux urgences lorsqu'elle n'arrive plus à respirer, ou qu'elle fait des pics de fièvre. Ses patchs de morphine l'assomment au point qu'elle ne s'énerve plus contre moi. J'en viens parfois à regretter ces moments bénis des dieux où, plus forte, elle hurlait sur moi pour un oui ou pour un non !

Chaque mercredi, à l'Institut Gustave-Roussy, j'arpente les couloirs où l'on croise des malades qui ont tous un rendez-vous imminent avec la mort. Certains sont encore des enfants. Leurs corps sont gangrenés par des métastases et pourtant, je n'ai jamais vu autant d'humanité, de dignité et de pudeur dans le regard de ces personnes qui auraient toutes les raisons d'être en colère devant l'injustice de la maladie.

Une odeur indéfinissable flotte dans l'air. Plusieurs heures après avoir quitté l'hôpital, je la sens encore sur mes vêtements, ma peau et mes cheveux. Cette odeur qui m'a imprégnée, bien malgré moi, quelques semaines plus tôt, alors que je ne m'y attendais pas. C'est celle de la mort. J'en ai encore la nausée aux lèvres.

Tout s'est passé si vite pour maman ! Opérée à la clinique Saint-François de Châteauroux pour de banals calculs de la vésicule biliaire, on a découvert qu'elle était atteinte d'un cancer du pancréas. Le docteur Cotillon ne lui donnait que deux mois à vivre. Je me souviendrai toujours de ce mois d'août 2014 où j'ai appris la sombre nouvelle. J'ai pleuré comme une petite fille. Le matin, mon visage était couvert de larmes qui avaient coulé pendant mon sommeil sans que je m'en rende compte, sans que cela me réveille.

Je perdis ma voix. Durant des jours, aucun son ne sortit de ma gorge. Devant ce drame qui me frappait, je me murai dans le silence. Un jour, au café Juliette de la rue Soufflot que j'adore fréquenter, Vittorio, le chaleureux serveur, constatant mon état déplorable, me tendit gentiment un petit verre contenant un alcool fort. May jouait avec sa poupée pendant ce temps. « Avec ça, me lança-t-il, vous guérirez plus vite ! » Ce remède de pochtron, je ne le sentais pas du tout et j'aurais dû suivre mon instinct. C'était du Ricard pur qui me brûla la gorge, je dirais au troisième degré, sans réel effet sur mes cordes vocales ! En l'avalant, une scène culte d'un film me vint à l'esprit : celle des *Bronzés font du ski,* lorsque Michel Blanc, Josiane Balasko et Marie-Anne Chazel « dégustent » de la liqueur d'échalote « relevée au jus d'ail, sinon c'est trop fade ! » avec un crapaud dans la bouteille… Inutile de tenter l'expérience, l'alcool ne me rendit pas ma voix. Le chagrin m'anéantissait, son expression était mon amputation vocale.

À Châteauroux où ma mère vit avec mon père, les médecins ont exclu de tenter le moindre traitement, même palliatif, estimant que son état général était trop dégradé : un passé chirurgical lourd, un cœur fragile, un métabolisme déréglé par des années d'un diabète insulinodépendant et du cholestérol, son âge… Refusant d'y croire, j'ai mobilisé pour la sauver les plus éminents professeurs d'oncologie de France et de Navarre, de l'hôpital Georges-Pompidou à l'Institut Gustave-Roussy. Elle a toujours cru en moi, en ma capacité à faire bouger les lignes, à renverser les montagnes. Je ne voulais pas la décevoir. Mais là, je me savais impuissante. Maman ne cesse de me remercier pour tout ce que je fais pour elle. Elle me dit qu'elle n'oubliera jamais. Mais je n'ai rien fait. Je n'ai pas trouvé le remède miracle qui pourrait la libérer de ce crabe. Comment lui dire qu'elle va bientôt partir ? Eh bien, je ne le lui dis pas. Je me convaincs d'une chose : si elle est persuadée qu'une issue heureuse est possible, elle trouvera en elle la ressource pour tenir quelques jours, quelques semaines de plus. C'est déjà exceptionnel.

Chaque semaine, je suis à son chevet, sa main à la peau fine et douce dans la mienne, toutes deux silencieuses, mes yeux se posent longuement sur son visage et j'essaie d'y trouver les traces d'un apaisement possible au soir de sa vie. Il n'y en a pas. Les multiples tourments de son existence y sont gravés de manière indélébile. Sa vie est marquée à jamais par la violence familiale et la brutalité des hommes. Mon seul souhait, quand elle partira, est qu'elle trouve dans cet ailleurs inconnu la sérénité et la liberté dont elle a été privée toute sa vie.

Lors de la publication de mon premier livre, *Ma République se meurt*[1], un journaliste me fit remarquer que si j'évoquais longuement mon père, ancien harki, ma mère était presque absente du récit. Était-ce parce que son histoire est difficilement racontable tant la barbarie avait rythmé son existence, que je demeurais silencieuse à son sujet ? Mes rapports compliqués avec elle l'expliquaient sans doute également, mais je sentais bien qu'il y avait autre chose de plus profond. Pourquoi moi, féministe, athée et laïque, ne parlais-je pas de ma mère ?

Alors, j'ai tenté de comprendre en laissant vagabonder mes pensées pendant des jours, jusqu'à ce que je m'arrête brusquement sur un souvenir d'enfance.

Je devais avoir quatre ou cinq ans. Ce jour-là, je me trouvais à la Chancellerie, « la Chancelle » comme on disait à l'époque, ce quartier de zone urbaine sensible de Bourges, aux immeubles construits à la va-vite pour accueillir les rapatriés d'Algérie et les travailleurs émigrés, employés comme main-d'œuvre bon marché sur les chaînes de montage des usines Renault et Peugeot. Mes grands-parents maternels y vivaient avec leurs

1. Jeannette Bougrab, *Ma République se meurt,* Grasset, 2013.

huit enfants (sans compter ma mère qui avait quitté le foyer familial depuis longtemps).

Je me trouvais dans l'entrée de l'appartement, à la croisée des couloirs menant à la cuisine et aux chambres. Dans l'une d'elles dormait ma tante Habiba, âgée d'une quinzaine d'années. Sa vie à la maison était un enfer, réduite à celle de petite bonne ne mangeant pas toujours à sa faim. Sa maigreur faisait ressortir son visage taillé à la serpe, avec une peau mate et des cheveux secs et crépus.

Le soir, lorsqu'elle voulait s'échapper de la maison, elle devait le faire en cachette en passant par la fenêtre du premier étage. Et quand elle se faisait « attraper », ma grand-mère la fouettait à coups de rallonge de fil électrique. Aucun enfant ne peut supporter de tels châtiments corporels. Le symptôme de la souffrance d'Habiba se manifestait par une énurésie secondaire. À quatorze ans, elle faisait encore pipi au lit.

À l'époque, on ne consultait pas de psychologue. Mes grands-parents ne devaient même pas savoir qu'il en existait… Le malheur, on faisait avec. Ils pensaient que tout pouvait se résoudre par les cris et les coups, la violence en somme, et qu'il fallait dresser les enfants comme des animaux. Alors ma grand-mère et ma propre mère comme complice se mirent d'accord pour mettre fin à ce syndrome. Laquelle des deux en eut l'idée ? Je préfère ne pas le savoir ! Dans la cuisine, l'une d'elles alluma la cuisinière à gaz et tendit vers la flamme une fourchette qu'elle fit chauffer à blanc.

Habiba dormait encore, ce qui aggravait son cas. Chez mes grands-parents, une femme ne devait pas traîner au lit, mais être en cuisine et préparer le café et à manger pour les hommes de la maison. Les deux complices entrèrent dans sa chambre, se jetèrent sur elle, lui écartèrent les cuisses et posèrent la fourchette brûlante à l'endroit par où elle péchait. J'entends encore ses hurlements, je la vois se débattre avec les jambes. Je me rappelle même la couleur de sa chemise de nuit : blanche ! Cette scène que j'avais occultée, je m'en souviens maintenant comme si c'était hier. Je ressens les brûlures de ma tante dans ma propre chair. L'amnésie infantile avait fait son œuvre. J'avais enfoui au plus profond de ma mémoire cette ignominie.

Comment peut-on infliger une telle punition à son enfant, à sa petite sœur ? Trente-cinq ans après, je ne comprends toujours pas cette sauvagerie. Cet acte barbare ne m'empêcha pas d'aimer ma mère, mais il me révéla ses paradoxes et ses ambiguïtés : elle est à la fois dure et fragile, brillante et primaire, généreuse et impitoyable. Ne pouvant parler de son côté solaire sans révéler sa part d'ombre, inconsciemment, j'avais préféré me taire.

Aujourd'hui qu'elle est sur le point de partir et que je ne cesse de pleurer cette vie qui la quitte, je voudrais lui rendre hommage parce que je lui dois tout... ou presque. Elle a comblé mon enfance en m'étouffant parfois d'un trop-plein d'amour et de tendresse, celui qu'elle n'avait pas eu la chance de connaître, elle, la petite victime de la maltraitance parentale. Ma mère m'a enseigné le courage et l'abnégation. Pour moi, elle est une amazone arabe, une femme éprise de liberté.

Je l'admire car elle a su transcender son malheur pour en faire une force. Mariée contre son gré une première fois alors qu'elle n'était qu'une enfant, violée lors de sa nuit de noces, dans les cris, les larmes d'un passé toujours présent et qui la hantait, elle m'a transmis le goût de la liberté et de l'égalité. Elle qui n'est jamais allée à l'école a poussé ses enfants pour qu'ils fassent des études. Grâce à elle, j'ai pu bénéficier de l'ascenseur social français. De l'école primaire Paul-Langevin à la faculté de droit de la Sorbonne, de l'université au Conseil d'État, de la présidence de la Halde au ministère de la Jeunesse et de la Vie associative sous la présidence de Nicolas Sarkozy, j'ai gravi une à une les marches de mon émancipation, portée par son regard, sa confiance infinie en moi, la petite Berrichonne née à Châteauroux, de parents harkis, ces Français musulmans.

Lui rendre hommage, oui, et à travers elle à toutes ces mères qui, ayant subi les pires violences, ont tenté d'échapper à la spirale infernale de la reproduction d'un modèle archaïque pour leurs propres filles. Elles sont plus nombreuses qu'on ne le croit. Je les ai rencontrées lors de la réalisation de ce film documentaire, *Interdites d'école*[1], pour Canal+. Du continent africain au continent asiatique, elles sont convaincues que c'est par l'instruction que leurs filles auront un avenir meilleur. Elles ont bien raison ! Nul besoin de rapports illustrés de savants schémas pour démontrer

1. *Interdites d'école*, film documentaire de 90 minutes, Canal+.

les bénéfices de l'instruction des filles. Ces mamans, heureusement, existent. Elles se lèvent comme un seul homme, si je puis dire, pour s'opposer à ce monde où les femmes sont réduites à être d'éternelles mineures.

Au XXIe siècle, nous sommes capables d'expédier la sonde spatiale Philae sur une comète pour la modique somme de un milliard d'euros. J'applaudirais cet exploit des deux mains, en communion avec les astrophysiciens, si, à côté, ouvrir une école primaire à Kakuma dans le nord du Kenya ne semblait pas impossible ! On vient de découvrir la fameuse « particule de Dieu », le boson de Higgs, on décode le génome humain et on est aujourd'hui capable de transplanter des cœurs artificiels. Des révolutions scientifiques incroyables qui concourent à l'amélioration de la condition humaine. Mais les femmes, cette « moitié du ciel » pour reprendre la célèbre formule de Mao, que voient-elles de ce progrès ?

Les violences subies par les femmes ne cessent de s'aggraver, quels que soient les continents, les États, les cultures, les religions. Femmes irakiennes exécutées par l'État islamique parce qu'elles refusent de se marier à des combattants du groupe terroriste ; suicides d'adolescentes yézidies qui préfèrent la mort plutôt que de devenir les esclaves sexuelles des djihadistes ; petites filles enterrées vivantes à leur naissance, filles excisées « pour leur salut », femmes vendues aux réseaux de prostitution, femmes lapidées, femmes décapitées au sabre à La Mecque, le premier lieu saint de l'islam où, selon le Coran, le sang ne devrait pas couler...

Cette terrible énumération, je pourrais la poursuivre à l'infini. Elle relate le martyre de dizaines de millions de femmes qui se perpétue dans une indifférence quasi généralisée. La France n'est d'ailleurs pas épargnée. Tous les deux jours, une femme décède des coups portés par son conjoint. Deux enfants meurent chaque jour, victimes de la violence de leurs parents.

Naître femme fut une malédiction pour ma mère. Elle le demeure pour des millions d'autres. Les siècles défilent, les mœurs évoluent mais les filles sont toujours perçues comme des charges et des poids. Elles constituent même un danger pour l'honneur des familles. Leur sacro-sainte virginité doit être préservée à tout prix. Des familles exigent – même en France – des certificats de virginité et des jeunes filles ont recours à des reconstitutions d'hymen par peur de leur père et de leurs frères qui n'hésiteraient pas à les assassiner s'ils apprenaient qu'elles ont eu des rapports sexuels avant le mariage. Et on qualifie ces actes de « crimes d'honneur » ! Dans certaines législations, ils constituent même une circonstance atténuante permettant à ces criminels d'échapper à la prison…

Avec une forme d'insouciance et d'inconscience, j'ai parfois pensé que ce que ma mère avait vécu en Algérie n'avait plus cours, ne pouvait plus exister. Mais pour des millions de femmes, le cauchemar est quotidien, un cauchemar dont elles ne se réveillent pas. La vérité est qu'on assassine nos filles et que nous regardons ailleurs. Le sort réservé aux femmes dans une société constitue d'ailleurs un très bon indicateur de l'état d'avancement des droits de l'homme. Quand on l'examine de près, on se rend compte de la dégradation générale. Nous devons réagir avant qu'il ne soit trop tard. Cette lapalissade, je me désole de l'écrire car la raison voudrait que des bataillons entiers se soulèvent pour combattre les oppresseurs. Et pourtant, il n'en est rien. Je m'impose comme un devoir d'alerter des violations des droits des femmes, au risque de sacrifier une vie plus sereine et bourgeoise.

Moi, Jeannette Bougrab, je crois avoir pu échapper au sortilège souvent maléfique de naître femme grâce à ma mère. Son histoire ressemblerait à beaucoup d'autres si elle n'avait trouvé les clés pour rompre le sort. Il faut que je la raconte, mais je ne pouvais l'écrire sans son consentement, par pudeur et respect pour elle.

La première de mes motivations pour réussir études et carrière a été de vouloir rendre à ma mère au centuple ce qu'elle m'avait donné. Je voulais qu'elle soit fière de moi. Mais ce que je souhaitais plus que tout, c'était la voir heureuse. Cette tâche que je m'étais assignée n'était pas simple, loin de là. Au fil des ans, le souvenir des souffrances de ses premières années de vie surgissait sans que je puisse la consoler et je vécus cette impuissance comme un échec.

Consciemment ou non, ces blessures familiales, je les porte en moi, elles sont inscrites dans mon ADN et quelque chose de l'histoire de toutes ces femmes m'enchaîne de manière étonnamment tragique. Comme si la malédiction de naître fille s'était enkystée en moi alors que j'y ai échappé. Peut-être, je le souhaite ardemment, ma fille May sera-t-elle de la génération libérée qui rompra définitivement cette chaîne.

Telle Shéhérazade qui disait des histoires sans fin pour repousser la mort, laissez-moi vous raconter celle de quatre femmes : de ma mère, Zohra Bougrab, du dernier prix Nobel de la paix, Malala Yousafzai, de Nada al-Ahda et la mienne. Quatre histoires qui montrent comment l'islamisme, que l'on n'ose pas nommer de peur d'être accusé de racisme et d'islamophobie, rend la vie des gamines aujourd'hui pire que jadis. Quatre trajectoires aussi qui ne me laissent aucun doute : on peut toujours vaincre la barbarie !

Zohra

Ces derniers mois, j'ai organisé toute ma vie autour de ma mère… Chaque semaine, je la rejoins à Villejuif, dans cette cité de l'ancienne banlieue rouge d'Île-de-France où régnait jadis en maître le parti communiste. Moi qui suis casanière et déteste passer le périphérique, je me retrouve dans cette grande ville dont le cœur battant est un hôpital internationalement reconnu en cancérologie.

Le mercredi est le rendez-vous hebdomadaire de ma mère avec la médecine des hommes. Elle vit isolée à Déols, dans l'Indre, sans aucun ami auprès de qui elle pourrait se confier, ne sortant que pour faire ses courses chez Lidl. Quand mon père perçoit sa retraite, c'est fête, on va chez Auchan ou Leclerc ! Chaque semaine, malgré son état de faiblesse, elle fait six cents kilomètres aller et retour pour son traitement de chimiothérapie, accompagnée par un ambulancier – un ancien militaire à la retraite –, à qui elle raconte son quotidien autour de Lackdar, son époux, Nadji, son fils, son « Tanguy » à elle de trente-neuf ans qui vit toujours à la maison avec sa petite fille Louise, charmant tyran de sept ans.

C'est aussi notre rendez-vous. Une triste opportunité qui nous a permis de nous retrouver. Il m'a fallu attendre l'âge de quarante et un ans et ce livre que j'écris sur les femmes arabes à partir de son histoire, pour avoir le courage de poser à ma mère des questions sur son enfance douloureuse. D'adulte à adulte. En tentant d'éviter les faux-fuyants. Des questions que je n'avais jamais abordées avant. Comme une eau boueuse qu'on évite de remuer pour jouir de la clarté de l'eau à la surface.

Le calvaire de ses premières années, je le connaissais un peu. Lorsque j'étais petite, il lui arrivait d'évoquer sa jeunesse algérienne en pleurant. Mais elle ne faisait qu'effleurer le sujet. Enfant, je ne réalisais pas les conséquences que pouvaient avoir les violences et les traumatismes subis par maman. Elle qui n'évoquait jamais Dieu autrement que comme un grand architecte, disait qu'il l'avait sacrifiée et ne comprenait pas pourquoi il l'avait tant punie. « Qu'est-ce que j'ai bien pu faire au bon Dieu pour subir un tel châtiment ? » demandait-elle en implorant le ciel. Je la laissais s'épancher, pensant que la parole pouvait alléger sa peine mais je n'aimais pas cela. Il m'arrivait même de lui demander d'arrêter, de changer de conversation. Je ne voulais pas entendre. Je me disais qu'il fallait oublier le passé. Penser à l'avenir. Ne plus regarder en arrière, ne plus ressasser.

Aujourd'hui, le temps nous est compté. Et j'ai encore beaucoup de questions. La vie a été chienne avec moi. Elle m'a arraché brutalement l'homme avec qui je pensais vivre tant de choses. À qui j'avais tant de choses à dire. De qui j'avais tant de choses à entendre, à apprendre, à connaître. Je n'étais pas pressée, nous avions le temps, pensais-je, tout le temps. Toute ma vie, je me reprocherai de ne pas avoir répondu à son dernier SMS...

Maman, donc. Le professeur Ducreux, un grand patron de la médecine comme on en voit peu, a confirmé le diagnostic terrible. Cet homme de renommée mondiale a su trouver les mots justes pour annoncer l'affreuse nouvelle. Son humanisme se vérifie à chaque consultation mensuelle. Il parle à maman d'égal à égale, avec patience et douceur. Elle lui répond en l'appelant « professeur » et le remercie avec chaleur à la fin de l'entretien. J'en suis émue aux larmes à chaque fois, et me retiens de le serrer dans mes bras pour lui manifester mon éternelle gratitude.

Depuis ce jour noir, je gère tout pour elle : le planning, les scanners, les IRM, les prises de sang, l'assistante de vie... Chaque mercredi, elle arrive très tôt de Châteauroux pour sa séance et repart dans la journée. Je lui ai proposé de venir vivre avec May et moi à Paris. Mais maman refuse de dormir chez nous, invoquant des prétextes étranges : je ne veux pas te déranger, chez toi c'est trop petit, ton père a besoin de moi, je ne suis pas bien chez toi... Elle veut toujours demeurer la maîtresse de maison, ne pas dépendre de moi. Elle est ma mère, je suis sa fille. Tout est là.

Ce 28 janvier 2015, sachant, inconsciemment, qu'elle ne viendrait jamais à la maison sans cette obligation de soins, je lui confirme par téléphone qu'elle a bien « chimio » et que je serai présente pour l'accompagner pendant sa séance. Or je me trompe : cette semaine, ma mère n'est pas programmée sur le planning de Gustave-Roussy. « Un acte manqué pour la conscience, un acte réussi pour l'inconscient », aurait dit le docteur Freud. Mon désir de l'avoir à mes côtés était évident. Je voulais qu'elle se livre. C'est peut-être ma dernière chance de lui poser les questions que je n'ai jamais osé évoquer avec elle. Et qu'elle me réponde. Ce qu'elle fit ce jour-là.

De l'autoroute A6 que j'empruntais pour me rendre à Châteauroux, j'avais souvent aperçu l'Institut Gustave-Roussy. Jamais je n'aurais imaginé que ce lieu me deviendrait si familier. L'établissement ressemble à un grand ensemble, à une de ces barres HLM d'une zone urbaine sensible. Comme la tour Balzac de la Cité des 4 000 à La Courneuve. Je serais curieuse de connaître ce qui a pu inspirer l'architecte qui a conçu cet immeuble. Une condamnation à de la prison ferme serait le moindre des châtiments ! À l'extérieur, le paysage est froid, laid, avec, dès qu'on lève le regard, neuf horribles châteaux d'eau en béton de plusieurs mètres de hauteur.

L'hôpital de jour se trouve au rez-de-chaussée, à gauche après la cafétéria. Au centre de la salle d'attente, un buffet propose du café dans des grands thermos, du jus d'orange, des gaufrettes et des petits-beurre. Les couloirs colorés conduisant aux chambres portent des noms ultramarins, Nouméa, Polynésie, Antilles, Réunion… On a sans doute voulu transformer la dure réalité en une destination de vacances. Pourquoi pas ? La maladie est un voyage qu'on voudrait le plus court possible. Mais on doute d'en revenir lorsqu'on est atteint d'un cancer. Les cas désespérés se retrouvent à Gustave-Roussy et les chances de guérison sont minimes. Peu importe car la bataille est autre. Il s'agit de gagner précieusement quelques semaines, quelques mois pour partager les derniers instants avec les êtres aimés.

J'arrive avec mon retard habituel – un trait que tous mes amis me connaissent et me reprochent. Maman est seule dans la salle d'attente. Elle a gardé son vieux manteau rouge foncé et sa grosse écharpe. La température est pourtant agréable à l'intérieur de l'hôpital. Elle ne me voit pas arriver. Depuis quelques années, un diabète insulinodépendant lui a dégradé considérablement la vision. Je lui fais plusieurs signes avant qu'elle ne m'aperçoive. Elle n'est pas grande, un mètre cinquante-cinq, mais elle en impose, cette dame. Est-ce son air grave malgré des pommettes arrondies, ses yeux sombres sous des sourcils fournis, ce teint étrangement clair et ses taches de rousseur qu'encadrent des cheveux noirs et raides ? Aucune permanente n'a jamais obtenu la moindre ondulation sur sa longue chevelure. Vers l'âge de vingt ans, des fils argentés sont apparus en nombre sur sa tête, comme si, inconsciemment, le chagrin qu'elle avait tant éprouvé trouvait une incarnation dans sa chevelure. Se faire des cheveux blancs, cette expression populaire, je l'ai apprise en la regardant.

Moi, j'ai les cheveux noirs de jais de papa, dont je m'escrime à vouloir contrarier la nature bouclée, marquée par le fait que, chez les Arabes, le cheveu frisé n'est pas un signe de beauté. Il faut qu'il soit lisse et clair, comme la peau. Chaque semaine, Christine Laffont, ma coiffeuse et amie, est donc mise à contribution : elle les sèche en tirant comme une forcenée sur sa brosse ronde pour les raidir.

À l'accueil, le personnel est souriant comme dans tout le centre. Il est cosmopolite, issu de l'immigration – maghrébine, espagnole, roumaine ou africaine... Les médecins étrangers de l'hôpital de jour, moins bien payés que leurs homologues français, sont toujours d'un grand dévouement. Ils parlent à maman comme si elle était de leur famille. Avec les Algériens, la proximité s'installe immédiatement. Ils s'expriment en français et beaucoup en arabe avec une certaine autorité. C'est important, maman n'écoute personne, et moi encore moins. Elle m'a généreusement transmis ce trait de caractère...

Une véritable solidarité se noue d'emblée entre patients, accompagnants et agents, que je n'ai jamais vue ailleurs. On ne se connaît pas, mais on se reconnaît. On se sourit, on prend des nouvelles les uns des autres. À quelques détails près, on se ressemble, on suit tous le même chemin de croix...

La salle d'attente. Des femmes, des hommes, des jeunes, des vieux, des pauvres, des riches rentrent, ressortent, seuls ou accompagnés, squelettiques, avec ou sans cheveux, certains peinant à marcher. D'autres semblent mieux portants. Des Antillais, des Chinois, des Saoudiens, des Russes… Une petite humanité d'éclopés qui attend son tour d'être appelée en chimiothérapie avant de disparaître dans les couloirs.

Assise près de ma mère, je les observe, d'un regard léger. Ne pas fixer le trou dans la gorge, les veines éclatées sur les mains, le sein amputé sous le chemisier, les perruques synthétiques. Beaucoup de patients sont seuls, sans famille, sans ami, bien que le traitement soit éprouvant. Dans les chambres que les malades partagent sans la moindre intimité, certains vomissent dans un haricot. Quand on me demande si j'ai une pastille de menthe, je cours au Relais H acheter des bonbons. M'occuper des autres me permet de tenir le choc et de supporter la violence de la maladie de maman.

Après des semaines d'observation, je constate que tous les malades maghrébins sont accompagnés de leurs filles, de leurs fils, de leur sœur… Voilà. Dans nos familles, on se crie dessus, on se frappe même parfois, mais dans la maladie on est là, soudés jusqu'au bout.

Chaque semaine, le soldat Jeannette Bougrab est au garde-à-vous devant le caporal Zohra Bougrab qui se comporte comme une diva. Elle parle fort et engage des conversations avec ses voisins. Moi, elle ne me parle pas, ce que je lui reproche parfois. Elle pourrait au moins tourner la tête vers moi, mais non. Sentir ma présence à ses côtés lui suffit.

Elle s'agace d'attendre, fait grimper sa tension, obligeant les infirmières à lui donner un Xanax avant chaque perfusion pour la calmer. Attendre, elle ne supporte pas. Même ici, il faut qu'elle soit « servie » à l'heure précise qu'on lui a indiquée, comme une reine.

Alors, je l'entoure comme je peux pour la faire patienter : tu veux un café ? Le voici ! Un sucre, une sucrette ? Deux ? Voilà ! Et ta petite brioche au sucre ? Il suffit de demander, maman chérie, je cours à la cafétéria où les gens font la queue pour acheter des viennoiseries insipides. Maman vient toujours avec deux sacs, l'un au bras, l'autre à la main, un grand sac plastique recyclable de supermarché à la couleur criarde dans lequel elle glisse ses dossiers médicaux. Pendant plusieurs semaines, je n'ai pas osé lui dire que je détestais ce sac, je ne pouvais pas le voir. Jusqu'au jour où je suis arrivée avec un nouveau : « Je t'en prie, jette-moi ce cabas immonde, prends plutôt celui-ci en tissu, il est quand même plus joli, non ? »

Elle ne me remercie pas ou vaguement. Que je l'accompagne chaque semaine depuis des mois est chose normale. Que je manque mes séances d'instruction au Conseil d'État est la moindre des choses. J'ai toujours été celle qu'elle appelle quand l'heure est grave. Mais que, en retour, je n'espère pas une parole tendre, à moins de la réclamer. « Il ne faut pas faire les choses pour être remercié... », m'a-t-elle toujours dit. On ne doit pas faire les choses par intérêt. Il faut être altruiste, généreux. Elle est ainsi, très dure parfois, et la maladie ne l'a pas adoucie.

L'attente commence. Tous les patients ont été convoqués à la même heure. La fabrication du produit étant lancée, une fois qu'on s'est inscrit à l'accueil, on ne sait jamais quand on va passer.

Dans ce lieu de vie et de mort, yeux dans les yeux, mains mêlées, maman et moi tentons de dénouer les nœuds de sa jeunesse en Algérie. Ses lambeaux de souvenirs m'ont imprégnée sans que j'en aie eu vraiment conscience. Je les porte comme des stigmates sur la peau. Enfant, maman m'a montré la route à fuir, celle à suivre, et a éveillé en moi l'urgence à dénoncer le martyre de toutes les petites filles du monde. Souvent, la rage, la colère, la fureur me gagnent face au double crime subi par ma mère : interdite d'école et mariée de force à treize ans.

Aujourd'hui, j'ai pu les transformer en une énergie positive et créatrice, en écrivant et en réalisant des films documentaires pour dénoncer ces viols organisés que sont les mariages précoces et l'interdiction d'école faite aux filles.

J'ai supplié ma petite mère adorée de me parler une dernière fois et de me raconter, avant que la mort ne l'emporte, les histoires qu'elle n'avait pas eu le temps de me confier.

Au cœur de la Méditerranée, la ville de Bou Hanifia, près d'Oran, devenue célèbre pour ses sources thermales et ses ruines romaines, ne ressemble en rien au village dans lequel maman est née. C'était en 1947, le 15 août, une belle journée malgré la chaleur suffocante de l'été. À deux heures d'avion de là, en métropole, on fêtait la Vierge Marie, son assomption magnifique, sa gloire céleste. Marie, mère de toutes les femmes, des jeunes filles, des gamines aussi. Peut-être un signe de chance pour cette petite Zohra qui arrivait au monde…

Zohra… En arabe, c'est « la fleur, la blancheur lumineuse », et l'on aurait pu penser que le cadre idyllique voire paradisiaque de son lieu de naissance augurait du plus bel avenir. Hélas ! Il fut au contraire le théâtre de violences quotidiennes au sein d'une famille dont ma mère, fille aînée de neuf enfants et figure de proue de cette galère, fut la première victime. Son bourreau était sa propre mère.

Il est vrai que Djamila, ma grand-mère, eut son lot de souffrances, elle aussi. Orpheline, elle élevait seule son petit frère et fut mariée de force à l'âge de douze ou treize ans. Tradition oblige. À l'époque, les jeunes épousées devaient vivre avec la famille de leur mari. Elle s'installa alors dans une ferme en plein milieu de la campagne, avec sa belle-mère, veuve de guerre et véritable tyran domestique.

La combinaison de deux facteurs – l'archaïsme du patriarcat et l'absence de moyens de contraception – condamnait les femmes à n'être que des ventres, des incubateurs à bébé. Ma grand-mère enchaînait les grossesses au péril de sa santé et de sa vie. Elle n'eut pas moins de quinze enfants, dont six moururent avant l'âge de cinq ans, sans compter les multiples fausses couches. Les conséquences sur sa santé furent désastreuses, d'autant qu'elle était de constitution fragile, cette petite dame qui ne faisait même pas un mètre cinquante… Preuve en est, les tatouages qu'elle portait sur le front et les talons. Ils lui avaient été imposés par sa famille, croyant naïvement qu'ils pouvaient la protéger des maladies chroniques dont elle souffrait.

Elle mourut à soixante ans alors que l'espérance de vie d'une femme est de quatre-vingt-deux ans en moyenne. Privée de soins élémentaires en Algérie, sa santé n'a guère été mieux prise en charge, comme elle aurait dû l'être, à son arrivée en France en 1962. Mais on connaît le sort des « chibanis », ces hommes aux cheveux blancs, ces immigrés maghrébins également qualifiés d'« invisibles » ou d'« oubliés », que l'on a délaissés dans les chambres bondées des foyers Sonacotra...

Ma mère était l'aînée des enfants. Il y eut ensuite Hadj, Mohammed (qui mourut à quatre ans), Rekkia, Tami, Brahim, Abdelaziz, Fatima, Habiba et Djamel, qui avait mon âge, ma grand-mère et ma mère ayant accouché la même année, en 1973. Enfant, mon oncle Djamel était très gêné par notre « gémellité ». Il me demandait de mentir aux copains de la cité en disant que nous étions cousins, alors que j'étais sa nièce. Je le faisais volontiers, j'adorais mon oncle, sans doute le plus gentil, le plus doux de la famille.

Dès que maman eut cinq ou six ans, elle devint la petite esclave de la maison, battue pour un rien. L'extrême pauvreté des indigènes, comme on les désignait là-bas, aggravait la situation des filles : les denrées alimentaires étant rares, on les donnait en priorité aux mâles de la maison.

À l'époque de l'Algérie coloniale, la mortalité infantile était très élevée par manque de nourriture et des soins les plus élémentaires. J'ai été bouleversée par la lecture des *Chroniques algériennes* d'Albert Camus, jeune journaliste, très sensibilisé par la situation qu'il avait découverte sur place. À sentir son émotion, on imagine bien que la condition des petits Algériens était pire encore que ce qu'il décrivait ! En 1939, cet « Européen d'Algérie » publia un article décrivant de manière poignante la situation des enfants en Kabylie : « Par un petit matin, j'ai vu à Tizi-Ouzou des enfants en loques disputer à des chiens kabyles le contenu d'une poubelle. À mes questions, un Kabyle me répondit : "C'est tous les matins comme ça"... Les statistiques ne veulent rien dire et j'en suis bien d'accord, mais si je dis que l'habitant du village d'Azouza que je suis allé voir faisait partie d'une famille de dix enfants dont deux seulement ont survécu, il ne s'agit point de chiffres ou de démonstration, mais d'une vérité criante et révélatrice. Je n'ai pas besoin non plus de donner le nombre d'élèves qui, dans les écoles autour de Fort-National, s'évanouissent de faim. »

Un peu plus loin, Albert Camus ajoute ces lignes : « Il me suffit de savoir qu'à l'école de Talam-Aïcha, les instituteurs, en octobre passé, ont vu arriver des élèves absolument nus et couverts de poux, qu'ils les ont habillés et passés à la tondeuse... Pour aujourd'hui, j'arrête ici cette promenade à travers la souffrance et la faim d'un peuple. On aura senti du moins que la misère ici n'est pas une formule ni un thème de méditation. Elle est. Elle crie et désespère. Encore une fois, qu'avons-nous fait pour elle et avons-nous le droit de nous détourner d'elle[1] ? »

---

1. Albert Camus, *Chroniques algériennes, 1939-1958,* Gallimard, Folio essais, 2003, p. 40-41.

Maman crevait littéralement de faim. Pour gagner quelques sous et acheter du pain pour son frère Hadj (qui allait à l'école, le bienheureux !), elle était réduite à travailler dans des champs de pois chiches. Au retour, elle grignotait du *khobz eddar,* ce pain typiquement algérien confectionné à partir de semoule et cuit au four. C'est tout ce qu'elle mangeait de la journée. Encore devait-elle avoir achevé son travail.

Quand elle était chanceuse, elle avait droit à une assiette de chorba, cette soupe cuisinée à partir de tomates, carottes, courgettes, vermicelle et viande de mouton, que l'on sert pendant le ramadan et qu'on distribue aux pauvres. Parfois même, de la *tchoutchouka,* délicieux mélange de poivrons grillés, de tomates et d'ail, une sorte de ratatouille baignant dans l'huile d'olive. Le mets le plus fin et le plus rare étant des sardines grillées. Mais la plupart du temps, elle mangeait surtout du pain, des fruits et des olives.

Le verger familial, grand de plusieurs hectares, permettait aussi à sa grand-mère de gagner quelques dinars qui aidaient tout le monde à vivre. Les fruits, au moins, il y en avait pour tout le monde ! Maman se souvient encore de la douceur sucrée des figues fraîches qu'elle cueillait dans les arbres, des pêches mûres à la chair si juteuse, aux grenades tellement chauffées par le soleil qu'elles éclataient. « C'est pour ça que j'adorais l'été… », se souvient-elle. En revanche, les dattes séchées qu'on ramassait dans le désert et dont les Européens sont si friands étaient données aux animaux de la ferme !

Les tâches ménagères étaient le passage obligé, son incontournable quotidien, même lorsqu'elle était souffrante. Si l'idée lui prenait de se sauver pour aller à l'école, ma grand-mère allait la chercher avec un bâton et la tirait par les cheveux pour la ramener à la maison. Puis, corvée d'eau au puits qui se trouvait à plusieurs kilomètres de la ferme.

« Et ça, ce n'était rien... », ajoute-t-elle, les yeux pleins de larmes. Ces scènes restent gravées en elle. Les lessives à la rivière, plusieurs fois par semaine, étaient pour elle les plus terribles de ces travaux forcés qui ne disaient pas leur nom. En particulier, quand il s'agissait de laver les *bourehbas*, ces grosses couvertures rayées et colorées, en laine de mouton très serrée, tellement lourdes qu'elles lui brisaient le dos. Ces jolies couvertures traditionnelles étaient son cauchemar.

J'imagine le supplice pour une enfant d'avoir à les tirer hors de l'eau, les bras squelettiques tétanisés, le corps maigre qui s'arcboute et lutte pour ne pas se laisser entraîner par le poids et tomber dans la rivière au risque de se noyer. Pour ces enfants dont aucun ne savait nager, c'était la mort assurée.

Patiemment, malgré la souffrance que provoquent les souvenirs de son enfance, ma mère répond à mes questions, mais à chaque détour de son histoire surgissent l'absence de tendresse, le manque d'empathie, le défaillant amour maternel de ma grand-mère. La voix de maman se casse, s'enroue, les mots peinent à sortir. À soixante-sept ans, l'évocation de cette dureté sans répit la bouleverse toujours autant. Alors, elle se met à pleurer.

Et ce n'est pas vers son père qu'enfant elle aurait pu se tourner. Ses fonctions militaires l'accaparaient, il était toujours absent. En repensant à lui, elle sourit tendrement et me dit : « Il ne pouvait pas savoir ce qui se passait à la maison… »

Ton indulgence t'aveugle, maman chérie. Certes, il était rarement là et ses permissions ne duraient pas plus d'une semaine, mais tous les prétextes étaient bons pour filer boire sa solde au bistro ! Le peu d'argent qu'il consentait à donner à ma grand-mère servait à acheter les produits de première nécessité. Pour le reste, il ne cherchait pas à savoir. Il ne s'intéressait qu'à lui, n'hésitant pas, certains soirs, à dépenser au bordel les quelques francs qui lui restaient.

Maman sanglote à présent. Je cesse de poser mes questions trop intrusives, mais elle tient à poursuivre. Les mots coulent de ses lèvres comme des larmes. Il faut qu'elle dise les prénoms pour faire exister les absents. Il n'y a plus qu'elle qui s'en souvienne à présent.

Elle devait avoir neuf ans lorsque Mohammed, son frère de quatre ans, mourut de fièvres et de diarrhées, parce que ma grand-mère avait refusé de l'emmener chez le médecin. Dépenser de l'argent pour sa progéniture, pas question ! Elle n'en avait sans doute pas, d'ailleurs. Mais enfin, on se bat dans une telle situation, on frappe à toutes les portes, on se démène ! Eh bien non ! Elle, elle abandonna son petit garçon à son triste sort avec une légèreté et une cruauté que beaucoup d'animaux n'auraient pas eues.

Bien qu'elle ait été trop jeune pour intervenir, maman s'est toujours sentie un peu responsable de la mort de son petit frère : elle conserve une image très nette du visage et de la blondeur de ses cheveux bouclés. Sa peine fut immense mais elle dut la ravaler pour ne pas subir une nouvelle punition. Aussi, quelques années plus tard, lorsque la petite Rekkia présenta les mêmes symptômes de la maladie, elle supplia sa mère de lui donner l'argent pour l'achat des médicaments. Nouveau refus, avec cette phrase terrible que maman n'a jamais oubliée : « De toute façon, ce n'est pas grave si elle meurt, ce n'est qu'une fille. » Pour elle, ce serait toujours une bouche de moins à nourrir…

Alors ma mère prit sa sœur dans ses bras et la porta en courant à la caserne voisine. Le médecin militaire fit une piqûre à Rekkia, lui donna des médicaments. Il insista auprès de maman sur la nécessité de la ramener le lendemain. Ce qu'elle fit, ainsi que les jours suivants, sauvant sa sœur d'une mort certaine. Ma grand-mère, elle, se désintéressa de la question. Il n'y a pas si longtemps, ma tante Rekkia appelait encore sa sœur aînée « maman ». Pour elle, ma maman était sa véritable mère.

Me revient à l'instant cette phrase de Montaigne qui m'avait beaucoup marquée : « J'ai perdu deux ou trois enfants en nourrice, non sans regret mais sans fâcherie. » Peut-être ma grand-mère appartenait-elle à cette race d'animal à sang froid, « une marâtre naturelle », ces fameuses « mères de sang » qui se conduisent comme les pires des belles-mères[1]. Oui, il existe des mères qui n'aiment pas leur enfant. Elles sont dans l'incapacité de manifester la moindre tendresse à son endroit. On a trop tendance à sublimer le lien biologique mais, on le vérifie chaque jour, il n'est en rien un rempart contre la maltraitance. Cette catégorie de mère pouvant aller jusqu'au déni de grossesse et à l'infanticide, l'actualité n'en est pas avare et elle touche tous les milieux sociaux. L'affaire Véronique Courjault, épouse bourgeoise d'un ingénieur industriel, et son triple infanticide en sont l'illustration.

Le fameux instinct maternel conduisant les femmes à protéger leur enfant jusqu'au sacrifice suprême est pure chimère, un concept moderne datant, pour ce qui est de l'Europe, du milieu du XVIIIe siècle. « On ne naît pas mère, on le devient. Ou pas. » L'amour maternel ne serait donc qu'une construction psychologique. S'agissant de ma grand-mère, cette théorie se vérifiait pleinement : d'instinct maternel, elle n'en avait pas, ni lien ni élan, et aucun attachement. Disons qu'elle était femelle, juste apte à la reproduction.

Arrivée à l'adolescence, maman espérait que le calvaire de la petite enfance allait s'interrompre et qu'elle pourrait enfin maîtriser davantage son destin. C'était sans compter sur les projets de ses parents, en particulier le mariage traditionnel arrangé entre les familles.

---

1. Élisabeth Badinter, *L'Amour en plus. Histoire de l'amour maternel, XVIIe-XXe siècle*, Le Livre de poche, 2001, p. 280.

La sémantique est souvent perverse. Si le mot mariage évoque l'union entre deux personnes, le bonheur, l'amour, il permet aussi de dissimuler une brutalité, une violence inouïes : un viol, ni plus ni moins, organisé par deux familles et avec leur bénédiction.

C'est ce que subit ma mère, mariée de force à treize ans, à un homme deux fois plus âgé qu'elle. Sa douleur est encore perceptible, ses larmes coulent quand elle me donne à imaginer ce que pouvaient être ses nuits à côté d'une bête qui s'enivrait, la battait et la violait sans entendre ses cris, ses supplications.

Et la même question me revient, comme un leitmotiv : comment des parents dignes de ce nom peuvent-ils conduire leur propre fille au viol ? Comment trouvent-ils le sommeil, sachant ce que leur enfant subit nuit après nuit ?

Connaissant mon grand-père, la cupidité et la vénalité ont dû être ses principales motivations pour organiser le martyre de sa propre chair. Il a donné maman en mariage, sans aucun remords, contre quelques milliers de francs. Peut-être même a-t-il bu un coup à sa santé ! Ce grand barbu aux yeux bleus n'a jamais brillé par son progressisme à l'égard des femmes. Il battait ma grand-mère, j'en fus le triste témoin. Alors que les jeux d'argent sont interdits dans l'islam, il lisait religieusement son *Bilto Magazine,* en suivant les conseils d'Omar Sharif pour trouver les bonnes combinaisons du tiercé, du quarté ou du quinté plus. Et il allait prier ensuite à la mosquée – une salle Algeco prêtée par la mairie.

Mais contribuer à l'instruction de ses enfants ? Ça, jamais ! Mon oncle Brahim me racontait avec un rire un peu amer que, lorsqu'il était enfant et qu'il faisait ses devoirs dans la chambre qu'il partageait avec ses frères, mon grand-père venait et éteignait la lumière en disant : « L'électricité, ça coûte cher. » La réussite scolaire n'était pas sa préoccupation, y compris pour les garçons.

Lui, il raisonnait comme un homme de cette culture patriarcale, de cette génération archaïque. Mais ma grand-mère, qui avait subi le même sort, comment a-t-elle pu vendre son enfant comme une marchandise et sans état d'âme ? Je ne le comprendrai jamais.

Ma mère quitta donc l'enfer familial pour l'enfer conjugal. Cette première union avec un homme brutal et violeur dura trois ou quatre mois. Ce qui était infiniment long, une éternité. Lorsque maman se sauva, elle était déjà enceinte, hélas. Elle se réfugia chez une tante guère plus aimante que sa mère, et redevint très vite une esclave domestique alors qu'elle attendait un enfant.

Elle eut la chance de ne pas mourir en couches comme tant de fillettes de cet âge, et donna naissance à une petite fille, ma grande sœur, qui succomba un an plus tard, victime d'une méningite foudroyante mais aussi de malnutrition. L'enfant née du viol conjugal retournait au néant. Ma mère en fut brisée. « Quelque chose est mort en moi à ce moment... », me dit-elle sans s'étendre davantage. Je sens bien que les larmes ne sont pas loin. Tristesse mais aussi colère devant l'injustice de naître femme en terre arabe.

Ma grand-mère, qui ne faisait pas de sentimentalisme, revint la chercher pour qu'elle rentre à la maison et reprenne sa place de bonne à tout faire. Affectée et fragilisée, maman ne lui résista pas. Elle n'avait que quatorze ans. Pouvait-elle faire autrement ? Un nouveau calvaire commença. Mais des événements dramatiques, liés à la guerre d'Algérie et à l'indépendance, allaient paradoxalement venir à son secours.

Comme beaucoup de jeunes très pauvres d'Algérie, plusieurs membres de ma famille s'étaient engagés dans l'armée française et furent projetés dans les conflits liés aux soubresauts de la fin de l'empire colonial. Ainsi Rhali, mon grand-oncle, fit-il la guerre d'Algérie mais aussi, auparavant, l'Indochine. Ce Rhali que j'ai connu enfant était la douceur personnifiée. J'avais du mal à l'imaginer sur un champ de bataille ou avec un Famas ! Dans la cité Le Luth, à Gennevilliers, un des quartiers les plus durs de l'Île-de-France, où il s'était installé, les affrontements pour le partage des territoires faisaient rage. Il y eut des adolescents tués et même des couvre-feux. Bref, une autre guerre avait lieu au pied de son immeuble, pour laquelle il n'était pas armé !

En 1962, la France abandonna les harkis. Des milliers d'entre eux furent massacrés au lendemain de la signature des accords d'Évian, laissant une tache indélébile dans l'histoire. Mon grand-père et sa famille eurent la chance de pouvoir quitter l'Algérie. Par la même occasion, ma mère se trouva éloignée définitivement de son premier mari et des comptes qu'elle aurait eu à lui rendre...

Arrivée à Bourges où la famille s'installa, elle redevint la proie de ses parents. Elle avait trouvé un emploi, manutentionnaire dans une usine de produits ménagers. Un comble ! Chaque mois, son modeste salaire lui était arraché et servait à faire bouillir la marmite familiale, mon grand-père n'ayant pas su trouver immédiatement un travail, contrairement à sa fille aînée beaucoup plus débrouillarde.

À ce régime-là, on peut comprendre qu'à dix-sept ans, lorsqu'on lui proposa de se marier, elle accepta tout de suite ! Ce mariage arrangé, elle aurait pu le refuser, mais fuir était sa priorité. Plutôt épouser un inconnu que de poursuivre dans cette voie sans issue.

D'autant que cet homme, son aîné de quinze ans, avait déjà un bon point pour lui : étant orphelin (ses parents avaient été assassinés par le FLN en Algérie), elle ne deviendrait pas l'esclave de sa belle-mère ! Quelle chance ! J'ai toujours pensé que cet élément fut déterminant dans le choix de ma mère d'épouser mon père. Elle savait qu'elle n'aurait pas à subir à nouveau la violence d'une femme à la maison.

Tabassées par leur mère, brutalisées par leur belle-mère, drôle de portrait que je dresse des femmes dans notre culture, et pourtant c'est une vérité : chez nous, ce sont elles qui exercent la violence sur les enfants, même quand ils sont grands ! Adolescente, ma tante Habiba était fouettée à coups de rallonge de fil électrique.

Vu l'âpreté de la vie algérienne, on aurait pu penser que la France serait douce à vivre pour mes deux jeunes tantes, nées ici. Paradoxalement, leur sort fut presque pire. Nées respectivement en 1965 et 1967, en pleine libéralisation des mœurs, elles aspirèrent, elles aussi, à vivre autrement. Ce qui leur fut totalement interdit.

Les années quatre-vingt furent délirantes. The Cure, Wham, Boy George et Culture Club en étaient les figures emblématiques. On ne le savait pas, mais c'étaient les dernières années d'insouciance après la libération sexuelle des années soixante-dix, juste avant l'apparition du VIH. Mes tantes auraient aimé participer à la fête, porter, comme leurs copines, des jupes courtes, des chaussures à talon, des tee-shirts découvrant leur nombril comme Madonna, rire, s'amuser, aller danser, être frivoles, parler avec des garçons en bas de l'immeuble et pourquoi pas se laisser embrasser comme toutes les filles de seize ou dix-huit ans. Envie de se brûler les ailes au feu de la liberté.

C'était aussi un temps où les cités, les grands ensembles nouvellement construits, constituaient un véritable progrès : il y avait des sanitaires, du chauffage, l'eau courante, une douche ou une baignoire, un confort que « ceux d'Algérie » n'avaient pas connu. La société française offrait à mes tantes une vie nouvelle et agréable, mais on la leur fracassa à coups de baffes, à coups de poing, de punitions.

Elles avaient juste oublié que si mes grands-parents n'étaient plus en Algérie, ils avaient traversé la Méditerranée en emportant leurs coutumes, leurs traditions, leur culture archaïque. Devenus adultes et de leur propre initiative, mes oncles reprirent des études ou suivirent des cours du soir. Par contre, mes tantes ne trouvèrent pas en elles les ressources suffisantes pour concrétiser de tels projets. Habiba a été anéantie par cette maltraitance réservée aux filles. Et pire, il arrivait que maman prenne le relais : parce que Habiba était rentrée un peu tard et qu'elle avait volé une mobylette, ma mère, qui prenait son rôle d'aînée très au sérieux, la punit un jour en lui brisant le bras avec un manche à balai !

Habiba et Fatima se sauvèrent de chez leurs parents et furent placées en foyer de mineures, avec la possibilité de revenir de temps à autre à la maison. Elles aussi eurent des compagnons hasardeux, des enfants qu'elles délaissèrent. Appliquant parfaitement l'adage bien connu des travailleurs sociaux : « La maltraitance se transmet à travers les générations : qui a été maltraité maltraitera... Cette fille dans l'institution : j'ai eu sa mère, j'aurai sa fille[1]. » Maman a toujours été dans la rupture de ce qu'elle avait vécu : nous donner de l'amour et de la confiance, nous envoyer à l'école, ne pas nous marier de force, furent les actes fondateurs de notre éducation.

Si elle sut s'extraire de ce funeste destin, insidieusement, la vieillesse fit renaître en elle des réflexes archaïques qu'elle avait tant combattus. Pourquoi ? Je l'ignore, mais je peux seulement esquisser des théories pour tenter de comprendre. L'âge venant, certaines femmes ayant vécu de tels traumatismes souhaitent prendre une revanche sur une vie ingrate en se vengeant sur leurs propres filles. Puisqu'elles ont souffert, il n'y a pas de raison pour que leurs filles échappent à leur sort. Un exemple extrême illustre cette explication : les fillettes sont amenées par leur propre mère

1. Boris Cyrulnik, *Ce merveilleux malheur*, Odile Jacob, p. 81.

pour être excisées par des femmes. Au nom d'une tradition religieuse ô combien barbare, ce sont bien des femmes qui tiennent la lame pour trancher le clitoris et les petites lèvres du sexe de leurs gamines...

Les statistiques montrent que les enfants maltraités deviennent à leur tour des personnes maltraitantes. Nul n'échapperait à ce prédéterminisme, cette fatalité insurmontable, et le cycle de la violence se répéterait à l'infini. Et pourtant, des êtres échappent à ce destin. Cela tient souvent du miracle, de cette fameuse « résilience », de ce « merveilleux malheur » comme Boris Cyrulnik l'appelle, que des individus détiennent en eux. C'est en voyant vivre mes parents que je me suis forgé la conviction profonde que c'est par le libre arbitre et la volonté qu'on façonne sa vie. À mon tour, j'ai tenté de construire une existence digne d'eux.

Cette fatalité que maman s'est employée à faire mentir lorsqu'elle est devenue mère à son tour et à laquelle, depuis que je suis maman, je ne peux qu'adhérer, en me battant pour que ma fille May ait le meilleur et qu'elle soit en mesure de donner le meilleur d'elle-même.

Certes, les violences que ma grand-mère Djamila avait subies, elle les reproduisit sur ses filles, inexorablement, et même de façon plus intense. Mais maman réussit à rompre le cycle infernal de la violence, ce qui fait d'elle une héroïne, mon héroïne. Comment, lorsqu'on a grandi dans un environnement où les filles sont maudites, parvient-on à éduquer ses propres filles avec équité, alors que les garçons incarnent l'image de Dieu sur terre ? Je l'ignore, mais maman y parvint, sans conseils, sans modèles. Peut-être l'amour, tout simplement, sans même parler d'amour maternel. Cette attitude spontanée qui fait que vous voulez ce qu'il y a de mieux pour vos enfants et qu'ils ne connaissent pas le même enfer que vous.

Pour une fois, la chance allait sourire à ma mère en mettant mon père sur sa route. La première rencontre entre la jeune Zohra et Lackdar eut lieu au jardin public de Bourges, chaperonnée par mon oncle Hadj. Malgré les responsabilités qu'elle assumait depuis des années, et bien qu'elle ait déjà été mariée, elle ne pouvait se trouver seule en présence d'un homme. L'honneur des familles passait avant tout et, sous la tutelle de son père ou de son frère, elle demeurait une éternelle mineure.

Sur une photo en noir et blanc de ce jour mémorable, maman porte un twin-set, une jupe droite en tissu écossais qui découvre de très jolies jambes et des escarpins blancs. Elle a les cheveux courts, les sourcils froncés, le visage fermé. Mon père est tout sourire, il a dû se mettre un peu de brillantine sur les cheveux, il est très bien habillé. Sans doute un costume sur mesure. On voit qu'il s'est apprêté. Il semble très séduit par maman. Mais était-ce réciproque ? Je n'en suis pas sûre. Pour ma mère, les choses ne s'expliquaient pas en ces termes : « Il n'était ni beau ni moche. Je n'avais pas le choix. Ce n'était pas un mariage d'amour. »

J'imagine mon oncle Hadj prenant les photographies et fixant sur l'objectif les premiers regards entre sa grande sœur et son futur beau-frère. Il fumait déjà malgré son jeune âge. Ses bonnes vieilles cigarettes pour lesquelles il eut une telle passion toute sa vie l'emportèrent l'année dernière alors qu'il n'avait que soixante-cinq ans.

Je ris en regardant cette vieille photo. C'est la première fois que je vois mes parents se tenir par la main, se toucher. Sur une autre, il enroule son bras autour d'elle, l'air conquérant. Mon père est rayonnant, il semble le plus heureux des hommes. Ses gestes sont pleins de tendresse pour ma mère. Il a trouvé son épouse, il l'a enfin trouvée, et on dirait qu'il ne veut plus la lâcher ! Et elle se laisse faire. Ils sont magnifiques tous les deux. Quelqu'un les voyant et ignorant qu'ils ne se connaissaient pas une heure plus tôt, pourrait dire qu'ils forment un très beau couple.

Si maman ne lui avait pas convenu, papa aurait pu annuler ce mariage, chercher à voir une autre jeune fille. Pour un homme, tout est toujours possible. Les femmes, elles, doivent accepter ce que proposent leurs parents. Il leur est difficile de dire non. Comme le dit maman : elle n'avait pas le choix.

Papa était un homme de devoir, désirant construire une famille et retrouver, d'une certaine façon, ce qu'il avait perdu en Algérie. Le prix pour s'être engagé aux côtés des soldats de l'armée française avait été très élevé ! Déjà marié en Algérie et père d'un petit Kadour, son mariage fut rompu par son beau-père qui considérait cet engagement comme une trahison. Du jour au lendemain, il ne revit plus jamais ni sa femme ni son fils. Ce n'est pas faute d'avoir essayé, pourtant. J'ai retrouvé des lettres où il exprimait toute sa détresse d'avoir perdu ceux qu'il aimait. Il a tenté à plusieurs reprises de les faire venir en France, mais ils refusèrent.

Pour le reste de sa famille, ils furent assassinés pendant la guerre d'indépendance : son père fut égorgé en 1957 pour avoir contribué à la libération de la France en participant à la Seconde Guerre mondiale, et son frère fut retrouvé près d'une rivière avec une balle dans la tête, victime du FLN.

D'avance, mon père se doutait que vivre en France serait difficile. Et comme si le rejet des Français ne suffisait pas, il eut à subir la haine des immigrés algériens qui, en dépit des accords d'Évian, poursuivaient la guerre d'Algérie en métropole. Pensant qu'ils pouvaient être le bras armé de l'OAS et qu'ils n'étaient pas intégrables, le général de Gaulle avait même fait parquer les harkis dans des camps. Certains étaient d'anciens camps de prisonniers de la Seconde Guerre mondiale, où l'on regroupait des juifs, des résistants avant de les envoyer dans les camps de la mort, comme celui de Rivesaltes à Perpignan. Pour ces familles arrivées d'Algérie, on avait laissé les miradors et les barbelés. Un accueil signifiant et prémonitoire...

Papa ne pouvait donc épouser qu'une fille de harkis et ce fut Zohra. Après s'être revus à deux ou trois reprises, le mariage fut conclu. Contrairement à la tradition, il ne donna lieu à aucune fête. Ni musique ni youyous ! Comme si mes parents voulaient montrer qu'ils n'étaient pas dupes de la supercherie, et que les festivités étaient bien inutiles.

Le mariage civil n'a lieu que cinq ans plus tard, en 1970, quand maman est enceinte de Salima, ma sœur aînée. La cérémonie se déroule en petit comité, sans mes grands-parents, qui ne se déplacent pas. Papa et maman emmènent leurs témoins respectifs à déjeuner à Argenton-sur-Creuse, dans un petit restaurant et, ensuite, maman prépare un couscous qu'elle distribue à leurs voisins comme le veut la tradition. Une journée simple, comme leur histoire.

Plus que jamais, cette union est une affaire entre un homme et une femme, un projet commun. Qui n'est pas sans une certaine modernité puisque, ensemble, ils mettent fin à l'immixtion des familles dans la sphère conjugale, et deviennent un couple à part entière, se coupant volontairement des influences extérieures. Ma mère aurait pu rompre sa relation avec mon père durant ces cinq années où aucun document officiel ne l'obligeait à rester auprès de lui. Mais non, elle reste. Je veux croire qu'elle n'est pas si mal à ses côtés… Elle-même me le confia un matin à Gustave-Roussy en atttendant sa chimiothérapie.

Leurs parcours se ressemblent, ils étaient faits pour se rencontrer. Ils ont vécu deux unions précédentes qui se sont interrompues, elle a perdu une petite fille, lui, un fils. Ce sont deux âmes écorchées, blessées, parfois sombres, mais qui possèdent la maturité et le recul nécessaires pour savoir ce qu'ils ne veulent pas qu'on leur impose. Et pourtant, malgré son amour pour mon père, je ne crois pas que maman ait été très heureuse. Je ne le lui ai pas demandé – la pudeur et la crainte de lui faire de la peine me l'interdisaient –, mais pour l'avoir écoutée, observée, je pense qu'elle a vécu cette charge de son enfance sur les épaules, dont elle n'a pu se débarrasser. Ce qui explique l'urgence, pour moi, lorsque j'ai été informée de sa maladie, de tenter d'adoucir ses derniers jours.

Papa est plus serein, un roc, bien que la quiétude diminue avec la mort qui se rapproche. Comme si les fantômes de la guerre, les morts, les égorgés se rappelaient à lui. Enfant, je me souviens de ses plaisanteries, son visage s'illuminait alors par un très beau sourire. Lorsque je vais chez eux, le matin, dans mon lit, j'entends maman rire à ses réflexions. Et je pense à tout ce qu'ils ont traversé... Ils sont comme deux résistants que la déferlante de malheurs n'a pas déracinés. Des roseaux, pas des chênes, et c'est ce qui est le plus admirable dans leur parcours.

Porter l'histoire qui est la leur est une plaie et ils connurent peu de répit. Je sais pour les avoir connus que nombre de harkis – et d'enfants de harkis – se sont suicidés par impossibilité de se faire admettre. Moi, mes parents ont tenu le choc, malgré le rejet de la France, le mépris, la haine parfois, et ils ne lui en ont même pas tenu rigueur ! C'est là leur plus grande force : n'avoir aucune rancœur, aucun esprit de revanche.

Jeunes mariés, mes parents s'installent sur les terres peu hospitalières du Berry, à l'opposé des paysages verdoyants de la Mitidja et du parfum des champs d'orangers. Ici, l'accueil est particulier, un peu froid, rustique, voire hostile. Hormis les Legrand, un couple sympathique de pieds-noirs, personne ne les soutient. Après l'abandon des harkis par la France, papa n'en a pas fini avec la bêtise humaine. Le racisme ordinaire l'attend en métropole. Combien de fois ai-je entendu mon père se faire traiter de « sale bicot », « sale melon », « bougnoule »... Lui qui déteste la violence réagit tout de suite : « Tu as un problème avec les Arabes ? » demande-t-il, et vlan ! un coup de poing ! Quand papa frappe, l'autre se retrouve vite à terre, même si une blessure de guerre l'empêche de plier complètement sa main droite. Ses mains larges et calleuses, ses mains de travailleur, mieux vaut ne pas les prendre dans la figure. Je déteste que mon père se batte mais, malgré tout, je suis fière de lui car il ne laisse rien passer. Il ne se laisse pas faire. Personne ne peut lui manquer de respect.

Très vite, mes parents décident de s'éloigner géographiquement de mes grands-parents maternels, oh ! pas très loin : ils s'installent à Châteauroux ; ce n'est qu'à soixante-dix kilomètres de Bourges mais cela change tout. On cesse de se voir, de se fréquenter, quelque part on coupe les ponts. Les frères et sœurs de maman vivront mal ce qu'ils considèrent comme une trahison et la lui feront payer longtemps en se moquant du couple qu'elle forme avec mon père. Maman a accepté, peut-être à contrecœur.

À Châteauroux, les barres de HLM nous tendent les bras. Nous n'y resterons pas longtemps : papa travaille dur pour que nous puissions quitter la cité.

Pour nous sortir de là, mes parents vont consentir des sacrifices inouïs. Avant les grands experts de la politique de la ville, ils ont compris d'instinct les désastres humains que peut créer une telle organisation urbaine. Ils vont nous donner un autre cadre de vie pour nous extraire de la glaise familiale, de l'aliénation de la communauté. Si nous restons dans la cité, avec la promiscuité des copains dont certains ont déjà à faire avec la justice, notre avenir sera compromis.

Ensemble, avec les moyens du bord, ils bâtissent quelque chose de solide dont le ciment est cet amour. « Faire souche » en France, c'était le rêve de mon père et il n'a cessé de se le répéter. Il voulait une femme, des enfants, une maison et des terres. Un jardin, à tout le moins, pour y planter des légumes au cas où l'argent manquerait pour acheter à manger. Travailler la terre, la retourner, la cultiver, pour lui c'est une manière de rester vivant. Ce qu'il va obtenir à la force du poignet.

Papa avait décidé de vivre à la campagne et son choix s'est porté sur Déols, un village rural accolé à Châteauroux. Avec ses quelques « paniers de nuits » (ces majorations financières accordées aux ouvriers en raison de la pénibilité des travaux exécutés) et un crédit bancaire à un taux usuraire, il achète une petite maison. Ce n'est pas une villa, loin de là, mais elle leur appartient et ils nous la transmettront à leur mort. Pour papa, c'est très important. D'autant qu'il a compris que, contrairement aux autres familles d'Algériens, il n'achètera pas de maison au bled pour y passer les vacances et y finir ses jours.

Cette cabane toute en bois ressemble à une baraque de forains, le confort en moins. Les murs sont bruts, sans papier peint ni peinture, les meubles sont en formica, tous dépareillés. Dans la cour où cohabitent les poules, les canards, les dindes, les oies et les lapins, la terre est boueuse et souille mes chaussures ! Je râle régulièrement contre cette installation. Maman me regarde, ébahie, devant ces soudains accès de préciosité...

Mon père, lui, est heureux car il est parvenu à reconstituer la petite ferme avec des animaux qu'il avait en Algérie. Dans ce qu'on appelle « les jardins ouvriers », il a des parcelles de terre qu'il cultive avec soin : pommes de terre, tomates, haricots verts, salades, oignons... Je nous revois, petits, traînant des sacs en toile de jute pour aider papa à ramasser les patates sous le soleil, et nous désaltérer ensuite à grands coups de *gazouz*... Cela nous amusait bien, finalement. Même si on aurait préféré regarder *Croque-vacances* avec Claude Pierrard, Isidore et Clémentine à la télévision !

En revanche, ce qui nous amuse nettement moins, c'est de garder les poules et les canards dans les champs de blé voisins qui viennent d'être moissonnés, papa ayant obtenu l'autorisation du paysan, un nommé Rapace, pour que nos chers volatiles viennent picorer gratuitement. Il faut les diriger avec le bâton, fermement mais sans leur faire peur, sinon ils s'enfuient et ensuite, on doit leur courir après... Quelle galère ! La honte aussi pour nous lorsque des gens nous regardent en passant !

À la maison, seul papa mange de la viande, excepté le premier jour du mois lorsque sa paie arrive et que nous faisons de grandes courses chez Mammouth ou Seron. Maman achète des biftecks. Ce moment, on l'attend surtout avec bonheur car nous avons droit à des douceurs, des bonbons ou des gâteaux achetés au rayon pâtisserie. Les épaisses et improbables génoises aux fruits, garnies de crème au beurre et recouvertes d'amandes effilées, font notre joie.

Nous vivons sous le seuil de pauvreté mais pas malheureux pour autant. C'est ce que disent souvent les enfants de parents unis et aimants, pauvres mais qui ont tout donné pour leurs enfants. Ce fut notre cas.

Mon père a toujours pensé qu'il ne retournerait jamais en Algérie, même entre quatre planches. C'est vrai, il ne reverra jamais sa terre natale, et c'est sans regrets. Pour lui, ce pays n'est qu'une terre de sang. C'est pour cela qu'il tenait à ce que nous parlions français à la maison. Parler français était une obligation. Le français, notre langue maternelle.

Maman voit les choses différemment. Se sachant très malade, son dernier souhait aurait été de revoir son pays. Et elle y tenait beaucoup ! Je l'ai vue pleurer, rien que d'y penser... Ce qui me surprend, vu la somme de souffrances qu'elle y a vécues. Peut-être veut-elle retrouver quelques senteurs, des sensations enfouies, le parfum des orangers, la chaleur du soleil sur les pierres, manger des fruits à l'arbre, cueillir des figues de barbarie sans se piquer... J'aurais aimé pouvoir réaliser son rêve, mais les plaies de l'histoire cicatrisent lentement. Malgré le ballet des cérémonies diplomatiques, plus de cinquante ans après la fin de la guerre d'Algérie, les harkis et leurs enfants ne peuvent que rarement y retourner. Ils restent des parias. Ma mère n'aura pas la chance de fouler une dernière fois la terre de ses ancêtres, la terre qui l'a vue naître.

Moi-même, dans le cadre du film que j'ai réalisé pour dénoncer les violences faites aux filles, j'ai voulu retrouver l'école où maman aurait dû être scolarisée en Algérie. Mais je n'ai pas obtenu les autorisations du gouvernement algérien pour me rendre sur place. De plus, mon voyage était prévu en plein mois de ramadan. Ne faisant pas le jeûne (comme aucun membre de ma famille), je pourrais subir les foudres de la justice selon le code pénal algérien !

L'absurdité de la politique fait que le vœu le plus cher d'une femme condamnée par la maladie ne sera pas exaucé. Et pire, la haine des Algériens pour les harkis leur refuse même le droit d'être enterrés en terre d'islam. Les pieds-noirs peuvent retourner en Algérie et même y être inhumés comme l'a été Roger Hanin, le petit gamin juif de Bab El Oued, ce quartier pauvre d'Alger. Les harkis, non. Même dans la mort, on ne leur pardonne pas. Triste injustice...

Mon père travaille la nuit comme mouleur sur machine chez Schlumberger. Courageux et dur à la tâche, sa seule préoccupation est de faire le plus possible d'heures supplémentaires pour mettre du beurre dans le couscous. « Travailler plus pour gagner plus » : il applique la politique de Nicolas Sarkozy avant l'heure ! Maman est manutentionnaire dans une usine de brioches, mais à ma naissance, elle arrête tout : « C'est ta faute…, me répétait-elle souvent. Tu pleurais tellement la nuit que je ne pouvais pas dormir et, ensuite, impossible d'aller travailler ! » Le salaire de papa suffit à peine pour nous faire vivre. Les dépenses ne couvrent que le strict nécessaire mais, en y repensant, je réalise que tous les frais relatifs à notre instruction, à notre présence à l'école dans les meilleures conditions sont prioritaires…

La solitude à Déols a été le prix à payer pour leur éloignement de la ville. Si papa travaille et rencontre des gens, ne serait-ce que ses copains à l'usine, ma mère ne sort presque pas et ne voit que son mari et ses enfants. Lorsqu'ils sont séparés, même pour un temps relativement court comme aujourd'hui où il est resté à Châteauroux, il faut qu'elle l'appelle. Je le constate à nouveau alors que nous sommes en train d'attendre à Gustave-Roussy.

Elle prend son téléphone portable et compose le numéro de la maison. Je lève les yeux au ciel. Qu'a-t-elle donc de si urgent à dire à papa alors qu'elle l'a quitté quatre heures plus tôt ? Est-ce que toute la salle d'attente va être informée de leurs soucis domestiques ? Maman me connaît par cœur : avant même que je lui fasse signe, elle baisse d'elle-même la voix. Malgré tout, quelques mots en arabe me parviennent : « Sors la marmite… tout est prêt, tu n'as qu'à faire chauffer… » Elle parle à mon père comme à un enfant, et je le devine assez amusé au bout du fil. « Dès que je pars, il ne mange plus, il se laisse mourir ! » chuchote maman en faisant de drôles de mimiques. Je souris. En même temps, elle dit vrai.

Cette dépendance est accrue car maman a toujours géré le budget familial. Lorsque mon père veut sortir, il doit demander son argent à maman. Elle est la véritable patronne de la maison !

Tel est le couple de mes parents, des inséparables qui, jusqu'au bout, feront bloc contre l'adversité en prenant soin l'un de l'autre. Souvent, je les trouve plus soudés que bien des couples mariés par amour ! Complices, fusionnels, ils passent leur temps à parler, à rire, et ne règlent leurs comptes qu'en public. Une manie que je n'ai jamais comprise. Combien de fois leur ai-je demandé d'arrêter de s'engueuler devant moi ! Je ne supporte plus d'entendre leurs cris après toutes ces années.

Mes parents m'ont inculqué l'indépendance, ils m'ont donné le goût de la liberté comme on apprend à un enfant à se laver les mains avant de se mettre à table. Le féminisme est une valeur naturelle et j'ai l'impression que le militantisme attaché à ce combat est inné chez moi, comme un réflexe, un instinct de survie. Du plus loin qu'il m'en souvienne, j'ai toujours pris fait et cause pour les femmes. Maman m'a servi d'exemple originel. C'est grâce à elle que je me suis passionnée pour toutes les autres et que je suis allée les questionner sur tous les continents. Mes derniers voyages m'ont d'ailleurs appris qu'il est plus difficile aujourd'hui d'être féministe en France qu'au

Pakistan. En Occident, les idées qui présidèrent à la libération des femmes sont de plus en plus souvent présentées comme rétrogrades voire conservatrices…

Au Pakistan, au Yémen, des fillettes sont prêtes à mourir pour défendre leurs maigres droits. Je ne suis pas convaincue qu'en France, les femmes auraient autant de courage… Alors qu'en matière de droits et de libertés, rien n'est jamais acquis. Preuve en est, le rétropédalage opéré par nombre de pays en matière d'avortement où les lobbies de droite et les religieux s'interrogent sur son bien-fondé. Les écarts de salaires entre hommes et femmes sont, à poste égal, toujours de 27 % (même aux États-Unis où une comédienne, Patricia Arquette, les a dénoncés lors de la cérémonie des Oscars !), les temps partiels sont imposés aux femmes en priorité, leurs pensions de retraite sont deux fois moins élevées, etc.

Dans notre passivité à l'égard de la situation des femmes dans le monde, le différentialisme compte pour beaucoup. On hésite à condamner l'excision ou la polygamie, de peur d'être accusé de juger la civilisation de l'autre ! Il a fallu attendre les années quatre-vingt-dix pour obtenir les premières condamnations pénales sur l'excision et que l'on cesse de dire que cette mutilation était une pratique « culturelle » et ancestrale. Arrêtons de croire qu'il y a un droit pour les Occidentaux et un droit pour… les autres !

De même, lorsque des femmes affirment que, pour les filles, porter le voile est une manière de s'émanciper, on se dit qu'elles pourraient tout aussi bien sortir sans avoir à dissimuler leur corps et une partie de leur visage… De la part de femmes qui, elles, ne le portent pas, il y a là une attitude d'enfant gâté tout à fait insupportable. Alors qu'il faudrait être vent debout contre toute forme d'intégrisme, on accepte en en appelant à la tolérance. Tolérance de quoi ? C'est ce que j'aimerais savoir.

La tragédie des femmes de ma famille fit naître chez moi du ressentiment, de la colère et une forme d'obsession : protéger et rendre justice à celles qu'on sacrifie dans une indifférence totale – les petites filles. Moi, la femme française d'origine arabe, je voudrais comprendre comment, au XXIe siècle, un calvaire tel que celui vécu par maman peut se perpétuer ? Comment des pères, au Yémen, peuvent vendre leurs petites filles comme du simple bétail à des hommes deux ou trois fois plus âgés qu'elles ? Comment des intégristes irakiens ou nigérians osent kidnapper des filles pour les vendre comme esclaves sexuelles ? Comment, en Afghanistan ou au Pakistan, des hommes n'hésitent pas à attaquer des fillettes à l'acide sur le chemin de l'école pour les empêcher de s'instruire ?

Il y a soixante ans, lorsque ma mère fut victime d'un patriarcat qui imposait aux femmes une vie d'analphabètes, de domestiques puis d'esclaves battues par leur époux, on ne parlait pas d'islamisme. La pratique religieuse était discrète. Les archaïsmes étaient pourtant bien présents. Aujourd'hui, ils revêtent d'autres habits, ceux des extrémistes musulmans, les nouveaux barbares de ce début de siècle.

De plus en plus de petites filles – des dizaines de millions – sont victimes de ces coutumes d'un temps que l'on pensait révolu. Pour la plupart, elles n'ont pas la force et le courage de réagir, de s'opposer à leur famille, à la société. Comment le pourraient-elles, si jeunes ? Certaines y sont parvenues, elles ont même été entendues et récompensées par la communauté internationale avec le prix Sakharov, le prix Amnesty International ou le prix Nobel. Elles s'appellent Nada, Malala. J'ai eu la chance de les rencontrer.

Malgré l'impérialisme religieux qui ne cesse de s'étendre, n'hésitant pas à tuer ceux qui s'opposent à lui, et qu'on ne parvient pas à arrêter, elles ont eu la force de dire non. Elles nous montrent la voie à suivre pour retrouver enfin le chemin de la modernité. Ce livre veut dénoncer le silence criminel qui est le nôtre, notre indécence à ne pas les entendre.

Nada

« Ils ont tué nos rêves,
ils ont tout tué à l'intérieur de nous. »

Il y a des livres qu'on lit les poings fermés tant l'histoire nous révolte et nous ramène à notre propre vécu. C'est le cas du roman *Dans le silence du vent*[1], de l'écrivaine Louise Erdrich, qui est aux Indiens d'Amérique ce qu'est Toni Morrison aux Afro-Américains. Elle y décrit la croisade de Joe, qui vit dans une réserve du Dakota, un jeune adolescent indien dont la mère a été violée lorsqu'il avait treize ans. Le crime a été si brutal qu'elle en est devenue amorphe. Joe décide alors de tout braver pour lui rendre justice. Face à l'indifférence et au désengagement des autorités, il mène l'enquête avec l'aide de ses copains et se lance à la poursuite de l'agresseur de sa mère. Au fil des jours, des mois, des années, Joe prend conscience des inégalités de la société dans laquelle il vit, en particulier d'une justice à deux vitesses. Sa vie en sera bouleversée et la cruelle réalité qu'il découvrira fera de lui un adulte avant

1. Louise Erdrich, *Dans le silence du vent*, Éditions Albin Michel, 2013.

l'heure. Un homme révolté comme le fut Albert Camus.

Toute la trame du roman est le combat obstiné d'un fils pour que sa mère soit traitée à l'égal des autres. Moi aussi, comme Joe, devenue adulte, j'ai voulu raconter l'histoire de maman, pour faire en sorte que les injustices subies par des millions de petites filles ne restent pas impunies et qu'elles obtiennent la réparation qui leur est due. À un moment dramatique et douloureux de ma vie, ces lignes écrites, puisées dans une mémoire meurtrie, je les voudrais rédemptrices afin de rendre à ma mère la dignité à laquelle elle a droit.

Oui, maman a été violée à treize ans, vendue par ses parents à un homme qu'ils avaient choisi pour devenir son mari, donnée en pâture à un adulte que cela ne dérangeait pas puisqu'il l'avait achetée. C'était il y a cinquante-cinq ans. Contrairement à la mère de Joe, aucune justice ne réparera jamais la violence subie par maman : à présent, mes grands-parents sont morts, celui qui a abusé d'elle également. Treize ans… Je ne peux m'empêcher de penser à la petite fille qu'elle fut et les larmes me montent aux yeux à l'instant où je rédige ces lignes. Chaque mot tapé sur le clavier de mon ordinateur fait surgir des scènes de viol et des cris que je me refuse à imaginer tout à fait. Comme celles qu'on appelle « les mariées de la mort » au Yémen, elle aurait pu se vider de son sang après le viol de la nuit de noces. Ou bien lorsqu'elle donna naissance à ma sœur… Dieu merci, il n'en fut rien.

Elhma Mahdi al-Assi avait treize ans, elle aussi, quand elle fut mariée de force. Dans son malheur, cinq jours après la célébration de cette « union » avec un homme de trente ans, elle est morte d'une hémorragie due à une déchirure vaginale. Cinq jours d'atroces souffrances avant de s'éteindre. Une vie massacrée… Elle n'aura été que le triste objet d'un « mariage d'échange » très répandu au Yémen, entre deux familles qui ont des filles « à caser ». Cette histoire donne la nausée mais il faut accepter de l'entendre pour ne plus dire qu'on ne savait pas. Car ces cas de figure ne sont pas rares : à Meedi, dans la province de Hajjah, une fillette de huit ans est morte le lendemain de sa nuit de noces des suites des blessures causées par un rapport sexuel avec son mari, de trente-deux ans son aîné. Là encore, une hémorragie liée à une rupture utérine.

Aujourd'hui, je suis révulsée de constater que l'histoire de ma mère n'est pas une exception, loin de là. Sept cents millions de femmes ont enduré ce crime dans le monde. Sept cents millions de femmes ont été violées lorsqu'elles étaient enfants ! Ce chiffre effrayant, qui donne le vertige, a été révélé en juin 2014 à Londres lors d'un colloque organisé par l'Unicef. Était présente, entre autres, celle qui incarne désormais, pour la communauté internationale, la lutte pour les droits des victimes : Angelina Jolie. C'est ainsi qu'on laisse à quelques personnalités d'Hollywood le soin de changer le monde… Ce chiffre de sept cents millions, la presse l'a relayé, moins sans doute parce que les journalistes le trouvaient incroyable, ignoble, inacceptable, que parce qu'une star américaine était là et que les photos de son visage bouleversé feraient vendre du papier...

Face à cela, les gouvernements, les politiques ne réagissent pas, alors qu'au cours des dix prochaines années, plus de cent quarante millions de filles seront mariées de force avant leur dix-huitième anniversaire. Je ne sais pas ce qu'il faut faire pour attirer leur attention, mais à mon humble place, j'aimerais que ces lignes trouvent un écho auprès des dirigeants politiques pour qu'enfin ils s'emparent de cette cause et disent stop au fléau des mariages précoces, stop à ce crime organisé, stop à ces viols organisés !

L'urgence est là, le désastre plus qu'imminent. De plus en plus, j'ai le sentiment qu'autrefois il y avait l'idée d'une universalité des droits de l'homme. En ce moment, on admet que les droits tels qu'on les conçoit ne sont plus universels mais culturels, religieux... et ce n'est pas grave. Voyez la proposition de loi, barbare et rétrograde, abaissant l'âge légal du mariage à neuf ans en Irak, pour les petites filles pubères ! Le 25 février 2014, le Conseil des ministres a approuvé un nouveau projet sur le statut personnel, présenté au Parlement par le ministre de la Justice, Hassan al-Shimari, un membre du parti islamiste chiite Fadhila (qui signifie « vertu »...). C'est un terrible symbole, car l'Irak était l'un des rares pays du Moyen-Orient à avoir encore un statut progressiste pour les femmes : l'âge légal du mariage était fixé à dix-huit ans et les mariages forcés interdits.

Aussi étrange que cela puisse paraître, la loi irakienne au temps de Saddam Hussein était plus protectrice à l'égard des femmes que l'actuel statut voté par un gouvernement démocratiquement élu. Comme l'était aussi la législation à l'époque d'Habib Bourguiba en Tunisie avec le code du statut personnel adopté en 1956. Statut que, bien évidemment, le nouveau gouvernement d'Ennahdha, issu du « printemps arabe » après la chute de Ben Ali, a tenté de remettre en cause. En Irak, pour le moment, ce projet de loi inique à l'égard des femmes n'a pas été adopté. Mais on voit bien que là, comme ailleurs, elles sont en sursis.

Paradoxalement, dans ces pays, la démocratie n'est pas forcément synonyme de progrès pour le droit des femmes. Elle s'instaure souvent à leur détriment : démocratie versus État de droit. C'est ainsi qu'après le départ des Américains d'Irak, les islamistes ont immédiatement établi les lois islamiques et instauré la charia. S'il y a des sacrifiés sur l'autel de la démocratie, ce sont bien les femmes musulmanes.

Ensuite, il n'est guère surprenant que des groupes comme l'État islamique (EI) voient le jour... La barbarie de ses membres contamine l'Irak et la Syrie, laissant présager un génocide qui porte le nom de « fémicide ». Et je pèse mes mots. Ces djihadistes ne cessent de revendiquer les pires actes contre les femmes et, malgré cela, ils ne font pas la une de l'actualité. Comme si on s'y habituait, comme si cela ne choquait plus... En décembre 2014, plus de cent cinquante femmes ont été exécutées parce qu'elles refusaient d'épouser des combattants du groupe islamiste terroriste. Selon le ministère des Droits de l'homme irakien, certaines étaient même enceintes, mais leur état n'a suscité aucune clémence de la part de leurs bourreaux.

La réalité, c'est qu'elles sont des milliers de gamines à être mariées et converties de force à l'islam, vendues ou offertes à des combattants – irakiens, syriens ou sympathisants de l'EI. Des hommes qui les battront et les violeront en toute impunité.

Amnesty International recueille les témoignages et ne cesse d'alerter sur ce désastre humain. Randa, seize ans, a été enlevée dans son village du sud du mont Sinjar avec ses parents. Après être passée par une maison où une centaine de jeunes filles étaient captives, elle a été donnée en « cadeau » à un homme deux fois plus âgé qu'elle qui s'est empressé de la violer. Randa a heureusement réussi à s'échapper. Elle a raconté son terrible calvaire, elle a parlé des autres prisonnières, mais on ne l'a pas écoutée. Aucune force armée, aucune troupe ne sont venues les délivrer. Tout le monde sait ce qui se passe, mais personne n'intervient pour faire reculer la barbarie de ces intégristes, de ces monstres. Quant à la diplomatie, elle s'agite, organise des sommets internationaux, publie des rapports mais reste totalement inefficace. Elle produit du vent, fait au mieux un peu de bruit mais rien ne change.

Dans un récent numéro de leur magazine *Dabiq*, les membres de l'EI se vantent de vendre des femmes yézidies ou chrétiennes comme esclaves sexuelles. Dans leur cynisme, ils divulguent même la grille tarifaire de ces « objets » de vente. Selon l'âge des femmes, les prix diffèrent. Les plus jeunes ont le plus de valeur en raison de leur virginité. Ainsi, une fille de un à neuf ans coûte l'équivalent de cent trente-huit euros, et, de dix à vingt ans, cent quatre euros. Une femme entre vingt et trente ans coûte soixante-neuf euros de trente à quarante, cinquante-deux euros, et celle de quarante à cinquante ans, trente-cinq euros. Après, elles ne semblent plus cotées à cet argus de la honte ! Le document, publié par l'agence de presse irakienne, précise par ailleurs qu'il est interdit d'acheter plus de trois femmes, sauf pour les étrangers (Turcs, Syriens ou Arabes du Golfe). Les bras m'en tombent lorsque je lis ce catalogue digne d'un « marché aux bestiaux ».

Dans le nord-est du Nigeria, des dizaines de femmes ont été mariées de force à des combattants islamistes qui n'ont pas hésité à les massacrer avant la reprise, par les forces gouvernementales, de la ville de Bama, pour éviter qu'elles ne tombent entre les mains d'« infidèles ».

Comment, au XXIe siècle, une telle abomination est-elle possible ?

D'autres lanceurs d'alerte nous poussent à regarder la réalité en face, comme Stephanie Sinclair. Photoreporter, elle a montré la détresse des petites filles que l'on marie. Après neuf ans de travail qui l'ont menée au Népal, au Yémen, en Éthiopie, en Inde et en Afghanistan, elle a présenté des clichés de fillettes mariées de force, certaines âgées de huit ans posant près de leur mari, des hommes de quarante, cinquante ans et parfois plus…

C'est une des choses les plus choquantes qu'il m'ait été donné de voir. Dans les yeux de ces fillettes, on voit la détresse et la mort. Elles nous appellent au secours. Et elles sont si jeunes ! Je ne pensais pas cela possible et pourtant j'ai vu pire en arpentant les terres du Yémen, pour mon film *Interdites d'école*. En arabe, « Yémen » signifie « félicité »... « la bien mal nommée », pourrais-je ajouter. Comme quoi, des terres sublimes peuvent abriter des hommes d'une cruauté sans limite aux pratiques esclavagistes. La beauté du décor, hélas, n'adoucit pas les mœurs.

À la croisée des mondes arabo-musulman, juif et chrétien, le Yémen porte une empreinte biblique où les communautés se côtoyaient autrefois en toute sérénité. Aujourd'hui, le pays est réputé l'un des plus dangereux de la planète et l'on dissuade d'y mettre les pieds tant les risques d'enlèvement sont grands. La Française Isabelle Prime, qui travaillait pour la Banque mondiale, en fut victime. J'arrive donc en ce début 2014 avec une certaine inquiétude qui, curieusement, s'envole dès que l'avion se pose sur le tarmac. Je me sens sereine, en contradiction totale avec les ravages de la guerre civile qui gangrène le pays depuis des années. À l'aéroport de Sanaa, ville sublime créée par Sem, l'un des trois fils de Noé, l'une des plus belles que j'aie vues de ma vie avec Istanbul et Jérusalem, l'ambassadeur, Franck Gellet, m'accueille, accompagné d'hommes armés. Dans le véhicule blindé où je monte avec lui, il y a un casque et un gilet pare-balles à son nom. Je suis tout de suite dans le bain ! La police nous précède en pick-up, kalachnikov à l'épaule, et nous escorte jusqu'à mon hôtel.

Autour d'un thé, l'ambassadeur me donne ensuite les consignes à suivre : ne pas sortir de la voiture, ne pas aller dans des lieux publics, en particulier le centre historique. « N'y déroger sous aucun prétexte ! » précise-t-il en me fixant comme s'il savait déjà que j'allais lui désobéir. « Et il vous faut tout de suite mémoriser un numéro de téléphone à composer en cas d'enlèvement », conclut-il. Cela va de soi.

Le ton de mon séjour est donné. Pendant les huit jours passés au Yémen, Franck Gellet a scruté le moindre de mes déplacements. Je reconnais avoir deux ou trois fois outrepassé les recommandations pour m'aventurer dans Sanaa et ses ruelles magnifiques aux façades ornées de motifs géométriques, avec ces murs de briques cuites et ces fenêtres aux dessins blanchis à la chaux. Le cadre est paradisiaque. Le ton ocre des habitations se confond avec la terre bistre des montagnes alentour. Nous sommes à 2 200 mètres d'altitude. Dans la ville, les minarets percent la ligne d'horizon et des espaces de verdure – les *bustans* (jardins) – sont disséminés entre les maisons, les mosquées, les hammams et les caravansérails. Une ville des *Mille et Une Nuits*. Extérieurement, en tout cas, parce que derrière les murs, c'est tout autre chose...

Néanmoins, la quiétude dans laquelle je suis me surprend. Comment se fait-il que je me sente si bien ici, alors que je n'ignore rien des malheurs qui peuvent m'arriver dans ce pays ! Inconsciemment, un aphorisme du Prophète m'accompagne dans toute ma balade, comme une légère poésie : « Il y a un vent qui vient du Yémen et qui me réconforte », dit-il. J'ai le sentiment de revenir aux racines de mon arbre généalogique, à mes origines, et c'est cela qui m'apaise. Entre le Xe et le XIVe siècle, les tribus yéménites, les Banu Hilal et les Banu Maqil, ont migré pour peupler l'Algérie, terre natale de mes parents, terre maudite pour maman. Le calvaire des gamines de Sanaa me touche d'autant plus.

Au Yémen, la guerre a aggravé la pauvreté des familles. Pour quelques dinars, elles marient leurs filles, souvent âgées de moins de dix ans. La moitié des filles seront mariées avant même d'avoir atteint l'âge de quinze ans. Dans les pays de tradition arabo-musulmane, contrairement à d'autres cultures comme en Inde, c'est la famille de l'époux qui doit fournir la dot. Les filles ont donc une valeur vénale. Après leur mariage, beaucoup quitteront le pays pour l'étranger, souvent l'Arabie Saoudite, où leurs bourreaux les attendent. Mais aucune raison, même la pauvreté, ne peut justifier une telle atteinte à l'intégrité du corps des enfants. Rien, pas même la religion.

Au Yémen, cette violation d'un droit fondamental de la personne est régulière car il n'existe pas d'âge légal au mariage. Dans cette société de structure féodale, les filles sont terrifiées à l'idée de s'opposer à leurs parents ou de porter plainte contre leur époux. Malgré les promesses du « printemps arabe », le gouvernement refuse toujours d'éradiquer cette pratique archaïque. Les prochaines années laissent peu d'espoir car la tyrannie et le despotisme religieux s'enracinent. D'ailleurs, c'est du Yémen que la fatwa dirigée contre Charb, mon bien-aimé, a été prononcée.

Malgré l'obscurantisme qui gagne cette terre biblique, une lumière s'est allumée à Sanaa, et elle a un prénom : Nada. Son histoire m'a bouleversée et, sans attendre, j'ai voulu la rejoindre, parler avec elle, lui apporter mon soutien en étant son porte-voix. Oui, je suis ce genre d'animal capable de parcourir des milliers de kilomètres, de franchir tous les obstacles pour aider une petite fille ! On pourra se moquer, me trouver ridicule ou naïve. Qu'importe, je sais que j'ai raison. C'est d'ailleurs ainsi que j'ai connu ma jolie petite May, ma fille adoptée au Laos, l'amour de ma vie, que je suis allée chercher seule à des milliers de kilomètres de la France alors qu'elle n'avait que quelques mois.

Nada n'a que onze ans lorsque ses parents acceptent, en contrepartie d'une dot, de la vendre à un homme beaucoup plus âgé. Jusqu'ici, toujours le même scénario. Cachée dans un couloir, elle les entend évoquer ce futur mariage. C'est là que son destin se joue. Ni une ni deux, elle décide de fuir sa maison et se réfugie chez son oncle. Malgré sa jeunesse, Nada est une enfant de la e-génération et des réseaux sociaux. Elle se fait aider pour poster une vidéo sur YouTube où elle nous interpelle, nous, les Occidentaux, et où elle dénonce notre silence criminel devant ces actes barbares. Pour finir, elle se dit prête à se laisser mourir si on la marie de force.

Menacée de mort par ses parents si elle n'obtempère pas, Nada a même le courage de porter plainte contre sa mère. Dans cette vidéo, elle évoque ses parents avec colère et incompréhension :

« Je leur ai dit que j'avais onze ans, que je n'aurais aucune vie, aucune éducation. N'ont-ils vraiment aucune compassion ? Ils ont menacé de me tuer si je partais chez mon oncle. Quel genre de personne peut menacer son enfant comme ça ? » Car si Nada a pu fuir, elle sait que beaucoup n'échapperont pas au piège. « Certains enfants ont décidé de se jeter dans la mer. Ils sont morts maintenant. Ce n'est pas normal pour des enfants innocents. [...] Ma tante maternelle avait quatorze ans quand on l'a mariée. Elle est restée un an avec son mari, ensuite elle s'est couverte d'essence et elle s'est immolée. Elle est morte. »

La fin de la vidéo est déchirante : « Ils ont tué nos rêves, ils ont tout tué à l'intérieur de nous. Il ne reste plus d'éducation. Il ne reste plus rien. C'est criminel, c'est simplement criminel. »

L'intelligence et la vivacité de Nada m'ont éblouie. Elle devrait avoir la vie devant elle, le plus bel avenir, mais, à peine sortie de l'enfance, on veut la brider, l'étouffer. Elle est courageuse, elle m'impressionne. Son appel à l'aide à la cybercommunauté a fait le tour du monde et, grâce à elle, beaucoup d'internautes ont découvert le calvaire de milliers de petites Nada. Si du fin fond du Yémen, une petite fille est parvenue à sensibiliser autant de gens, tout espoir n'est pas perdu...

L'esprit de révolte est un bien précieux et rare chez des fillettes programmées pour être soumises, car elles le sont : elles peuvent subir les pires violences sans se rebeller. Dès leur plus jeune âge, les petites Yéménites ont intégré la position d'infériorité, l'impossibilité de choisir leur vie, et même l'idée que leur père les donnera en mariage en échange d'une contrepartie financière. Il fallait que je rencontre Nada, la jolie Nada dont le visage lumineux m'a laissée sans voix.

C'est dans son école que je l'ai vue pour la première fois. Tout un symbole.

Je ne l'oublierai jamais, notre première rencontre. Lorsque j'arrive devant l'école, Nada m'attend et se jette dans mes bras. Elle porte l'uniforme bleu et blanc des petites filles qui la fait ressembler à n'importe quelle écolière d'un internat européen. Depuis la vidéo sur Internet, elle a changé de coiffure et adopté une coupe de cheveux moderne, un carré flou. Elle ne porte pas le voile et ne se cache pas. Elle est libre, cela se voit. Tous ses gestes manifestent son désir d'émancipation. Dans la cour de l'école, elle chante, elle danse avec une grâce incroyable.

Je la serre fort sur mon cœur : elle est encore plus fine, plus frêle que je ne pensais, mais quand elle sourit, elle est d'une force ! Notre rencontre est une évidence. Je ressens pour elle une tendresse presque maternelle. Elle parle arabe à toute allure, cette langue qui me berce quand je l'entends mais que je ne comprends pas parfaitement. Cette langue du secret que mes parents parlaient ensemble lorsqu'ils voulaient me cacher des choses…

Nada dégage un charisme inouï, à faire pâlir le plus éloquent des avocats parisiens. Elle a des étoiles dans les yeux, une joie de vivre contagieuse pour qui veut bien l'écouter. Même si certaines de ses phrases sont terribles, elle les prononce avec fermeté : « Je suis prête à me suicider si on ne me laisse pas étudier. » À onze ans, sa maturité me stupéfait : « C'est un mauvais choix que font les parents de nous marier contre de l'argent, car l'argent n'est pas éternel. L'argent s'en va et ensuite ils regrettent ! » Nada sait bien ce que le mariage signifie : la fin immédiate de sa scolarité pour accomplir ses devoirs d'épouse. D'ailleurs, le mariage précoce est la principale cause d'exclusion des filles de l'école et on comprend, dès lors, pourquoi 70 % des femmes yéménites sont illettrées.

Je ne peux détacher mes yeux de son joli visage. Elle détonne avec son entourage, à commencer par les enseignantes de son école, vêtues de la tête aux pieds de l'*abaya* noire, sans oublier les gants. Elles sont toutes habillées d'un niqab, le visage entièrement couvert hormis les yeux. Aucun centimètre carré de peau ne saurait être exposé à la vue des hommes… Ces fantômes noirs se déplacent comme des ombres dans l'école pourtant très colorée, peinte en rose avec de grandes fleurs bleues et des feuillages.

Si Nada et ses camarades peuvent encore échapper à l'uniforme imposé par les islamistes dominant la société en son entier, la punition du voile ne saurait tarder : bientôt, on les forcera à dissimuler leur corps, ô combien objet de désir et susceptible de détourner l'attention des hommes ! Pauvres, pauvres hommes innocents et sans défense…

Avant de la quitter, nous regardons ensemble la vidéo qu'elle avait postée sur Internet et sourit, espiègle. Elle en avait eu, du courage, pour la mettre en ligne ! Aujourd'hui, Nada va pouvoir poursuivre sa scolarité et son avenir semble assuré mais le sort de sa sœur de treize ans la préoccupe : « Elle est déjà mariée et elle va partir pour l'Arabie Saoudite. Je suis inquiète pour elle… » Je lis dans ses yeux la culpabilité de ne pouvoir lui venir en aide. Ce regard, je le connais, maman a souvent le même. Celui de la sœur qui n'a pas réussi à sauver le reste de la fratrie des desseins de parents vénaux et sans scrupules.

Je la serre à nouveau très fort avant de la quitter. Elle est incroyablement attachante, j'aimerais l'emmener avec moi à Paris pour qu'elle ait une autre vie. Mais elle ne veut pas laisser son oncle et sa tante qui la soutiennent, et elle a raison. Nada est un exemple remarquable de détermination. Malheureusement, pour une qui est sauvée des eaux, combien seront englouties ?

Contrairement aux Français, les Américains cherchent à attirer les talents chez eux, ceux qui écriront l'histoire de demain. Une chose est sûre : cette terre d'immigration n'a pas peur des étrangers. Nada a déjà été repérée comme une personnalité « à fort potentiel » ! Pour moi, c'est un euphémisme : Nada est brillante, elle présidera à la destinée de son pays si elle conserve cette passion d'étudier qui m'a tant frappée chez elle. Alors, tant mieux si l'Oncle Sam se dit prêt à l'accueillir ! Et tant pis pour nous.

Avant Nada, les Américains ont donné sa chance à une autre Yéménite, Khadija al-Salami. Khadija, qui porte le nom de la première épouse du Prophète, a été victime d'un mariage forcé à onze ans. Des liens d'amitié instantanés et très forts se sont tissés entre nous lorsque nous nous sommes rencontrées à Paris pour préparer mon séjour à Sanaa. Entre femmes

« cabossées » par la vie, on se reconnaît ! Khadija a transcendé sa propre expérience (toujours cette belle résilience…) pour s'occuper de jeunes Yéménites victimes de mariage forcé mais qui décident de réagir. C'est une très belle femme, de petite taille, comme si le traumatisme l'avait enfermée dans ce corps d'enfant qui n'a jamais enfanté. Elle m'explique son travail auprès des fillettes, comment elle les accompagne juridiquement pour qu'elles obtiennent le divorce. Et les fonds qu'elle recherche pour financer leurs études. Le tout avec une humilité déconcertante, alors qu'elle s'aventure parfois sur des territoires aux mains des islamistes avec tous les risques que cela comporte. Portée par sa cause, telle une missionnaire, elle se fiche du danger. J'ai l'impression de me regarder dans un miroir.

Il n'y a pas de hasard dans la vie, notre rencontre était écrite, me suis-je dit lorsque j'ai appris que Khadija aidait Nada dans sa scolarité…

Elle aussi revient de loin. À côté de l'enfance de Khadija, *Oliver Twist* et *Les Misérables* sont de jolis contes enchantés ! Son père, une brute épaisse, frappait son épouse avec une violence sans nom, jusqu'à brandir un tesson de bouteille et lui couper la langue ! Vendue par son père à un homme, elle resta mariée trois semaines et parvint toute seule à demander le divorce. « Les trois semaines les plus longues de ma vie », m'a-t-elle dit ! Pour échapper à son bourreau, elle s'enfermait dans les toilettes et se cognait la tête contre les murs. Alertés par les hurlements, ses voisins l'aidèrent à s'échapper. Elle m'avoua ce qu'elle n'avait dit à personne : « J'ai été violée plusieurs fois » et elle se mit à pleurer. Je la serrre dans mes bras et je pleure avec elle.

Heureusement, la fin de l'histoire de Khadija est plus joyeuse ! Après son divorce, elle trouva un petit travail à la télévision yéménite qui lui permit de retourner à l'école. L'ambassade américaine la remarqua quelques années plus tard et lui accorda une bourse pour étudier aux États-Unis. Elle devint diplomate mais, au bout de quelques années, quitta cette situation très confortable pour être réalisatrice de films et dénoncer la tragédie des petites Yéménites. Les images sont toujours plus fortes que les discours des technocrates dans les forums internationaux... Le sujet de son premier long-métrage est l'histoire de la jeune Nojoud dont le prénom est devenu le symbole de l'insoumission, de la résistance.

C'est à neuf ans que Nojoud a été mariée de force et abusée sexuellement par un trentenaire. Le pire dans toutes ces histoires, c'est que la loi yéménite, la plus hypocrite et la moins respectée du monde, exige que le mari attende les premières règles de sa jeune épousée pour avoir des relations sexuelles avec elle. Bien évidemment, Nojoud a été violée dès sa nuit de noces. Et les jours suivants, sa belle-famille a commencé à la battrc !

J'ignore où elle a puisé la force pour demander le divorce, un an plus tard. Pour le Yémen, c'était une situation inédite : jamais une jeune fille n'avait dénoncé publiquement ce qu'elle subissait. Nous sommes en avril 2008. Un jour, en allant acheter du pain, elle fuit le domicile conjugal et se réfugie au tribunal. Elle n'a que dix ans, c'est encore une toute petite fille et on va se mobiliser autour d'elle pour l'aider : une avocate, Chadha Nasser, des ONG et la presse locale, notamment la rédactrice en chef du *Yemen Times*, Nadia Abdulaziz al-Saqqaf, qui fait sa une avec cette histoire (elle deviendra quelques années plus tard ministre de l'Information). Nojoud peut surtout compter sur l'aide d'un homme, Mohammed al-Ghadhi, un magistrat, qui l'héberge temporairement et envoie père et mari violeur en détention provisoire pour avoir menti sur l'âge de la fillette. Un fait rarissime au Yémen. Les magistrats, l'expression la plus conservatrice de la société, ne défendent presque jamais les filles. Ce qui, en passant, reste pour moi une énigme absolue : quelle est cette justice qui permet aux hommes de loi de ne pas porter secours à des citoyens, des enfants qui plus est, au point même de les laisser mourir ? La loi n'est-elle pas censée protéger les plus faibles ?

Lors de mon voyage au Yémen, Khadija m'accompagne sans hésitation et me fait rencontrer ces petites rebelles qui parviennent à fuir leur famille pour ne pas être vendues comme des bêtes à la foire. Leurs histoires sont tout aussi dramatiques les unes que les autres, et je constate qu'elles sont plus nombreuses qu'on ne le croit à braver les lois archaïques des hommes.

À nouveau, je transgresse les règles imposées par l'ambassadeur de France pour me perdre avec Khadija dans le centre historique de Sanaa, où nous allons déjeuner. L'ambassadeur Franck Gellet m'ayant à l'œil, je reçois dans l'heure une réprimande par mail. Il se fait un sang d'encre pour nous !

« Chère madame la Ministre,

Ayant appris que Khadija avait coupablement oublié mes consignes pourtant toutes fraîches, je souhaite vous rappeler qu'il ne peut être envisagé de se rendre dans aucun restaurant de la capitale, même avec une escorte. Tous les établissements sont susceptibles d'être surveillés par Al-Qaïda, selon les mises en garde qui nous sont adressées par le service de renseignement local qui, au moins en ce domaine, est très sérieux [*sic*].

Il est essentiel que vous ne vous mettiez pas en danger et, à travers vous, la France.

N'hésitez pas à vous opposer à notre amie, qui est sympathique mais qui tend manifestement à oublier qu'elle ne pilote pas un groupe de Yéménites. »

La dernière phrase, qui ne manque pas d'humour, concerne Khadija dont, apparemment, il déplore la mauvaise influence sur moi..., s'il savait ! Le pauvre, je me mets à sa place... Il doit trembler que je me fasse enlever. Pour finir, j'ai fait en sorte de ne pas trop l'inquiéter mais j'ai tout de même achevé ma série d'interviews. Il faut croire que même Al-Qaïda n'a pas voulu de moi. Ils ont raison : je serais leur pire fléau !

Nada, Khadija, Nojoud, on ne connaît les victimes de mariages précoces qu'à travers les prénoms de celles qui ont réussi à y échapper d'une manière ou d'une autre. Et moi je pense à toutes celles, les millions d'autres dans le monde, qui subiront coups, viols et grossesses à répétition. Des vies massacrées, des vies sacrifiées dont on se fiche, alors que les histoires sordides d'un homme politique dans un hôtel du Nord de la France ou les déboires conjugaux d'une star de la téléréalité en venant aux coups alimentent les colonnes des quotidiens des semaines durant…

Et on parle encore trop peu du danger mortel des grossesses précoces parce qu'on pense qu'à partir du moment où une jeune fille est pubère, son corps est apte à donner la vie. C'est faux, le corps enfantin n'est pas fait pour supporter le poids et l'envergure d'un bébé. Là encore, un syndrome hémorragique peut entraîner la mort. Pauvres petites filles, rien ne leur sera épargné ! Si elles ne meurent pas lors de leur nuit de noces, une séance de « rattrapage » est organisée à l'accouchement !

C'est en pensant à maman, abandonnée à son pauvre sort, que je milite aujourd'hui pour toutes les autres. Elle, personne ne l'a aidée, personne n'a dénoncé le crime ni le criminel. Pourtant, les voisins savaient et les autorités locales françaises connaissaient les pratiques archaïques de l'Algérie coloniale. Mais voilà, le poids de la culture est plus lourd que le sort funeste d'une petite fille. Et que pèse la vie d'une enfant dans une société qui consacre l'écrasante suprématie de l'homme ?

J'ai souvent dans la tête une phrase, une citation que j'aime et qui me guide. Chaque jour de ma vie, je tente de mettre en application le sage conseil du Mahatma Gandhi : « Soyez vous-même le changement que vous voudriez voir dans le monde. » Pour ce qui me concerne, ma religion est faite : tant que la communauté internationale, les gouvernements locaux, ne réagiront pas de manière efficace, en utilisant des moyens de pression pour que ce drame cesse, je continuerai à le dénoncer, je m'obstinerai jusqu'à le réduire à néant. Aujourd'hui, c'est devenu le premier, voire le seul et dernier de mes combats.

Je suis choquée de voir que pour les fillettes qui portent plainte, la justice est aux abonnés absents. Elle n'est pas là pour elles, ou si peu. Les magistrats préfèrent ignorer cette barbarie quotidienne, abandonnant les victimes aux bourreaux, et les dossiers s'empilent sur leurs bureaux. Au tribunal de Sanaa, je rencontre une magistrate en charge des affaires familiales. Je voudrais qu'elle m'explique pourquoi la justice des hommes ne répond pas au SOS de ces enfants. Elle se défile, je la bouscule un peu. Étant juge moi-même, docteur en droit, je me sens à armes égales face à elle. Et là, il se produit quelque chose d'incroyable : cette femme, dont la vocation et le métier devraient être de dénoncer la condition injuste des filles, nie carrément l'existence des mariages précoces !

Je ne la lâche plus, et lorsque je la confronte à ses contradictions et aux faits notoires – des filles mariées de force, il y en a au cœur de la capitale, j'en ai d'ailleurs rencontré plusieurs que j'ai même interviewées ! – elle se ravise et reconnaît l'ampleur du phénomène. Je l'ai ébranlée sur tous les points de droit et, brusquement, pour contrecarrer mon raisonnement contre ces mariages, elle me sort une justification que je n'attendais pas : Aïcha. Elle fut la deuxième femme du Prophète. Ce dernier l'épousa alors qu'elle n'avait que six ans. Les musulmans la surnomment « la mère de tous les croyants ». Épousée à six ans serait donc un exemple à suivre ?

Elle hausse les épaules devant ma consternation :

« Vous, les Occidentaux, vous voulez nous imposer votre modèle...

– Madame, ne me dites pas ça à moi, fille d'Algériens musulmans ! »

Cette conversation est étrange. L'apostasie étant rejetée par l'islam et passible de la peine de mort, je suis pour elle une musulmane appartenant à la Oumma, la communauté des croyants, avant d'être une étrangère. Dès lors, son argument « différentialiste » tombe de lui-même. Elle aurait insisté davantage si elle avait eu affaire à une journaliste d'une autre origine... J'essaie de comprendre comment une magistrate peut invoquer avec tant d'aplomb la vie du Prophète pour justifier de tels crimes. Je lui rappelle que le Yémen a ratifié les conventions internationales protégeant les droits des enfants et qu'elle ne peut abandonner l'application des lois humaines au profit des lois divines.

Je me méfie toujours des vérités inspirées par la religion, d'autant que le Coran qui dicte ces lois est d'un accès difficile pour les profanes : « Le texte coranique, on ne s'y promène pas, on le gravit. Le gravir requiert dans un premier temps d'être guidé[1] », reconnaît très justement l'écrivain Mahmoud Hussein, célèbre pseudonyme pour deux auteurs égyptiens On peut faire dire ce que l'on veut à ce texte, y plaquer toutes les interprétations ! Au VIIe siècle, en Arabie, terre de tradition orale, le Prophète transmit à ses compagnons les versets révélés par Dieu, les hadiths. Entre la révélation et la retranscription, il fallut plus de deux siècles pour reconstituer l'ensemble des versets coraniques à partir des fragments recueillis par les compagnons du Prophète. Les contradictions et les divergences étaient par conséquent inévitables.

Cette magistrate a fait ses études à l'Université islamique de Sanaa financée par les Saoudiens. Il n'est pas surprenant qu'elle préfère s'inspirer des faits et gestes du prophète Mohammed plutôt que des dits du Prophète, les hadiths. Elle est devenue l'outil le plus efficace de propagande du wahhabisme[2], cet islam radical importé d'Arabie Saoudite.

En fin d'entretien, une question me brûle les lèvres :

---

1. Mahmoud Hussein, *Ce que ne dit pas le Coran*, Grasset, p. 13.

2. Le wahhabisme a été fondé par Muhammad ibn Abd al-Wahhâb au XVIIIe siècle. Il se caractérise « par son rigorisme et son littéralisme censés restaurer l'islam dans sa pureté originelle en combattant tous les mouvements, toutes les personnes jugés déviants et toute innovation en matière d'interprétation du texte coranique. C'est la doctrine officielle de l'Arabie Saoudite depuis sa création en 1932 », *Dictionnaire du Coran*, Mohammad Ali Amir Moezzi (dir.), Robert Laffont, 2007, p. 949.

« Madame, que feriez-vous si un texte imposait un âge légal pour le mariage, dix-huit ans, comme il en était question après le printemps yéménite ?

– Je ne l'appliquerais pas car il n'y a de loi suprême que la charia. »

La messe est dite… si je puis me permettre ! Lorsqu'une femme, magistrate de surcroît, réagit ainsi, on peut se dire que les tentatives pour changer les choses sont vouées à l'échec. Je regarde cette femme sûre d'elle et de ses convictions, et la quitte en me disant qu'elle n'a pas dû, elle, subir ce dont elle parle. Quel égoïsme, quelle indifférence !… Plus tard, j'en ai appris un peu plus à son sujet : à vingt-sept ans, elle n'est toujours pas mariée !

Je connus d'autres déceptions durant ce voyage au Yémen. L'ancienne ministre des Droits de l'homme, Hooria Mashhour, avait, disait-elle, entendu l'appel d'Amnesty International et s'était engagée à faire adopter un projet de loi fixant l'âge légal du mariage à dix-huit ans. Enfin, le signe d'un véritable espoir ! J'obtins un rendez-vous. Quand j'entre dans son bureau, je suis assez surprise : j'attends d'une femme à ce poste un peu plus de modernité, or elle porte un voile sombre et une longue robe noire qui la dissimule presque entièrement. Son parti, celui des islamistes, ayant fait échouer toutes les tentatives précédentes d'adopter ladite loi, j'ai du mal à croire à la sincérité de sa démarche. Une vision progressiste de la femme et l'intégrisme religieux me semblent inconciliables, mais je lui laisse le bénéfice du doute.

En la quittant, je lui confie deux dossiers de fillettes de douze ans, mariées, et qui demandent le divorce.

Il ne lui serait pas difficile d'intervenir pour elles. J'imagine l'enfer que ce doit être pour une petite fille lorsque son mari apprend qu'elle a entamé une telle procédure… Il ne faut donc pas traîner. Pourtant, un an après notre rencontre, elle n'a toujours rien fait pour les aider.

Heureusement, il y a Arwa ! Elle m'a redonné la foi. C'est une véritable amazone. Arwa Othman, ancienne présidente de la Commission des droits et libertés (commission constituée dans le cadre du Dialogue national instauré après le « printemps » yéménite), m'a fait une tout autre impression. Je l'attendais dans la résidence surprotégée de l'ambassadeur de France à Sanaa, et elle est venue vers moi, en autobus. Rien d'extraordinaire, me direz-vous, sauf qu'au Yémen, circuler tête nue dans les transports publics est un geste d'une grande bravoure, certains diront suicidaire. Arwa refuse de porter le voile. On remarque ses beaux cheveux roux, teints au henné, et elle porte des jeans ! Dans la rue, des hommes l'injurient, ils voudraient la frapper, mais rien ne l'arrête. C'est son choix, sa liberté. Elle pourrait mourir pour la préserver.

Sa témérité est admirable. Elle me raconte les débats de sa commission, notamment le témoignage poignant d'une adolescente qui a eu le courage de parler devant ce comité très solennel. Mariée de force à huit ans à un officier de l'armée yéménite, elle subit pendant trois ans des sévices si monstrueux que son témoignage arrache des larmes aux hommes. « Ils sont parfois plus tendres que certaines femmes... », remarque Arwa, en hochant la tête d'un air triste.

Cela m'avait surprise aussi, mais l'ennemi est souvent dans son propre camp... Ainsi, une femme médecin, membre de la commission, a refusé de voter une loi imposant un âge légal pour le mariage, estimant qu'il n'y avait aucune étude démontrant les effets néfastes de rapports sexuels entre une enfant et un homme âgé ! Aucune étude ?! Et les « mariées de la mort », ainsi qu'on appelle les fillettes qui meurent pendant leur nuit de noces, qu'en fait-elle ?

Le plus effarant reste l'attitude de Tawakkol Karman, prix Nobel de la paix en 2011. Lors de la séance solennelle du vote de cette proposition de loi, la nouvelle nobélisée s'est fait porter pâle. À trente-deux ans, elle est la première femme arabe récipiendaire d'un prix Nobel, la première Yéménite, la première militante d'un parti islamiste, la première femme portant le hijab et l'une des quarante-trois femmes dans le monde à avoir obtenu cette distinction. J'aurais préféré que son CV soit un peu différent – son appartenance à la confrérie des Frères musulmans me semble antinomique avec un tel honneur –, mais je me suis prise à espérer. Hélas ! Quelle déception de voir qu'elle n'a pas eu le courage de voter un texte aussi important qui aurait révolutionné la vie des femmes de son pays, à commencer par les plus jeunes !

Depuis mon séjour au Yémen, la situation s'est détériorée. Il n'y a plus de gouvernement, le Parlement a été dissous et les chancelleries occidentales ont évacué leur ambassade. Les attentats rythment le quotidien des habitants. La coalition armée arabe, menée par l'Arabie Saoudite, bombarde Sanaa. On imagine que le sort des petites filles n'est pas la priorité. Je crains qu'elles ne demeurent encore longtemps des sacrifiées... Mais je ne les oublie pas. Et je reviendrai. Et j'espère pouvoir les aider concrètement et efficacement.

Je n'ai pas arrêté de penser à ma conversation avec la magistrate qui, à bout d'arguments, m'avait sorti de sous son voile le nom d'Aïcha. Je connaissais peu la vie du Prophète, pas dans les détails en tout cas, alors j'ai cherché des écrits sur lui et sa jeune épouse. Ils sont peu nombreux et les rares textes existants sont bienveillants.

Existe-t-il une forme de tyrannie intellectuelle qui interdirait ne serait-ce qu'un début de distance avec un acte du Prophète ? Le début d'un commencement de critique s'apparenterait-il à un blasphème ? Alors, que faire ? S'interdire de penser ? Ignorer ce qu'en Occident nous considérons comme scandaleux ? Ou bien dire la vérité, tout simplement...

Ceux qui me connaissent savent que je déteste les faux-fuyants. Mes proches tremblent déjà en imaginant le sort qui pourrait m'être réservé. Peu importe. « Tel un moucheron contre un éléphant », je veux continuer à dénoncer l'inacceptable. Mon moteur de vie est toujours d'être en cohérence avec mes principes. On m'accusera d'islamophobie sans même m'entendre, et peut-être sans me lire... Mais je préfère subir des injures, des calomnies (une fatwa, allez savoir, je ne suis plus à cela près !) plutôt que de rester silencieuse et de trahir mes idéaux. Même si les chances de succès de mon entreprise sont minces, je veux continuer mon combat car il est juste. Lui seul me donne le sentiment de revivre, de prendre ma vie en main alors qu'elle gît en morceaux, après avoir été allégrement piétinée.

Le postulat de l'analyse est simple : le prophète Mohammed épousa Aïcha, sa deuxième épouse, alors qu'elle avait six ans et le mariage fut consommé lorsqu'elle en eut neuf ou dix, selon les versions. C'est notoire.

D'après les textes, le mariage du Prophète avec cette enfant fut conclu à l'initiative d'une femme, Khaoula bint Hakimi ! Constatant sa tristesse après la mort de sa première épouse, Khadija, elle lui conseilla de se remarier.

« Avec qui ? » demanda-t-il.

Elle lui proposa deux femmes : Swada et Aïcha. Mohammed demanda à voir les deux. La première était une veuve d'une cinquantaine d'années, après avoir perdu son époux lors d'une bataille en Abyssinie entre des musulmans et les polythéistes de La Mecque. La seconde était une jeune vierge, une ravissante petite rousse de six ans. Ne pouvant se résoudre à choisir, le Prophète épousa et la femme et l'enfant.

Aïcha bint Abu Bakr, dite « l'épouse-enfant bien-aimée » de Mohammed, eut une grande importance dans la vie du Prophète et des fidèles. Elle devint la mère de tous les croyants et la mémoire des musulmans. Le Prophète lui faisait une telle confiance qu'il n'hésitait pas à la mettre en avant : « Apprenez votre religion de cette *humayra* [cette petite rousse] », disait-il à ses fidèles.

On idéalise l'épouse, on magnifie la petite fille, mais l'acte que tous ses apprêts dissimulent est-il acceptable en ce XXIe siècle ? Aïcha était certes ravissante et très intelligente, mais elle n'avait que six ans, elle jouait à la poupée, à la balançoire, comme toutes les fillettes de son âge. Et, bien sûr, elle n'était pas encore pubère.

Lorsque je lis le récit d'Aïcha décrivant son mariage, je suis stupéfaite, déconcertée, déboussolée : « L'envoyé de Dieu m'épousa quand j'avais six ans et les noces furent célébrées quand j'en eus neuf. Nous arrivâmes à Médine, j'eus de la fièvre pendant un mois, puis mes cheveux qui étaient tombés à cause de la maladie repoussèrent abondamment. Ma mère vint me trouver alors que j'étais sur une balançoire, entourée de mes camarades. Elle m'appela et je m'approchai sans savoir ce qu'elle voulait de moi. Elle me prit par la main et m'arrêta à une porte. Elle me fit entrer dans une maison où se trouvaient des Médinoises qui s'exclamèrent : “Bonheur et bénédiction ! Bonne chance !” Ma mère me remit à elles, elles me lavèrent la tête et me firent belle. Et je n'eus pas peur, sauf lorsqu'au matin arriva l'Envoyé de Dieu à qui elles me remirent[1]. »

Il est dit que le Prophète laissa ses poupées à la petite fille. On ajoute même qu'il jouait parfois avec elle, témoignant ainsi de sa grande tolérance. Comment peut-on écrire cela ?! Cet homme qui épousa

1. Maxime Rodinson, *Mahomet,* Le Seuil, Points Essais, p. 182.

une enfant de six ans lui laissa ses jouets, « dans sa grande mansuétude ». Le soin avec lequel les auteurs soulignent la gentillesse du Prophète est confondant.

Et pour tenter de minimiser le tout, il est précisé que le Prophète « n'aurait eu » de relations sexuelles avec Aïcha qu'entre neuf et dix ans. C'est en se fondant sur son exemple que les actuels gouvernements islamistes, tel l'Irak, veulent abaisser l'âge légal du mariage. Je comprends pourquoi la magistrate m'a parlé d'Aïcha.

Tous les écrits concernant Aïcha relatent qu'elle fut aimée et écoutée par le Prophète. Dans son livre *Figures du féminin en Islam*, Houria Abdelouahed pense qu'il s'agit plutôt « d'un mouvement d'idéalisation commémorative qui protège le moi de l'épreuve haineuse de la culpabilité. La place héroïque dans laquelle elle était acculée (savante et mémoire des musulmans) venait dissimuler l'insupportable vécu traumatique. À moins qu'on dise à l'instar de Ferenczi[1] que sa parole récitante des sciences religieuses taisait héroïquement son silence d'enfant traumatisé[2] ». Je partage cette analyse si juste.

Le mot « héroïque » revient souvent pour définir cette petite fille qui est devenue un symbole, un mythe. À moi, il laisse un goût amer quand on songe à l'enfant si jeune dans le lit de l'adulte, tout Prophète soit-il.

Aïcha n'avait que douze ans lorsque le Prophète prit une nouvelle épouse, Zaïnab, qui n'était autre

1. Sándor Ferenczi, *Réflexions sur le traumatisme*, Payot, p. 141.
2. Houria Abdelouahed, *Figures du féminin en Islam*, PUF, 2012, p. 45.

que la femme de Zaïd, son fils adoptif ! Pour pouvoir épouser celle qu'il convoitait, il n'hésita pas à revenir sur l'adoption de Zaïd qui avait été l'esclave de Khadija, sa première épouse. Il fit annuler cet acte pourtant d'une grande générosité et interdire, à l'avenir, l'adoption en droit musulman.

Au-delà de son rôle d'épouse et d'amante, les historiens pensent que Aïcha fut la première féministe du monde musulman. Il semblerait qu'elle eut même un rôle politique actif, en particulier après la mort du Prophète où elle mena même la bataille du Chameau, lors du soulèvement contre Ali qui fit plusieurs milliers de morts. Elle rapporta plus de mille deux cent dix hadiths destinés à clarifier les paroles de Dieu que l'on retrouve dans le texte coranique. Évidemment, les hommes n'en retinrent qu'une centaine, les autres, favorables aux femmes, ont été écartés. Pourtant le Prophète n'avait-il pas dit : « Puisez une partie de votre religion dans la petite rousse[1] » ?

Ce que je pense, c'est que tant que les musulmans n'auront pas reconnu que le mariage du Prophète est à replacer dans son époque, on n'éradiquera pas cette pratique du mariage précoce. Est-il blasphématoire de dire qu'il faut se détacher de pratiques archaïques ?

Il faut savoir lire les récits fondateurs contenus dans la Bible ou le Coran. Tout n'est pas à prendre au pied de la lettre, sinon il n'y aurait aucun progrès. Il est vrai que lorsque l'on voit encore des hommes lapider, décapiter, ou couper les mains des voleurs,

1. Sourate des Factions, verset 60.

on peut s'interroger sur la réelle amélioration de la condition humaine dans certaines sociétés...

Elles sont nombreuses, les associations musulmanes proches des islamistes qui tendent à minimiser le désastre des mariages précoces. On leur donne du crédit en les interviewant dans les colonnes des journaux les plus sérieux du soir. *Seyaj*, que dirige Ahmed al-Kuraishi, en est un des exemples les plus significants. À Paris, où je préparais mon déplacement pour le Yémen et le Pakistan, cet homme à barbe avait réussi à semer le doute dans l'esprit des Occidentaux, y compris au sein de la petite équipe qui m'accompagnait ! Une journaliste me déconseillait de partir. Il y avait du danger et elle n'était pas certaine que le déplacement se justifiât, pensant que les mariages précoces étaient minoritaires. J'eus même l'impression qu'elle doutait de la sincérité de Nada. Mon sang ne fit qu'un tour et j'avoue que je perdis mon calme. Que connaissait-elle de la situation des petites filles dans les pays arabo-musulmans ? Moi, cette histoire, je la porte en moi depuis plusieurs générations, c'est la mienne. L'histoire de ma famille pourrait se résumer dans celle de Nada. Comment mettre en doute sa parole ? Il suffit de la regarder, d'entendre ses cris pour la croire.

Des risques, il y en a, c'est vrai, mais il est impossible d'enquêter dans ces pays sans en courir un minimum. Et on lui doit bien ça, non ? Si je ne vais pas à la rencontre de Nada pour relayer son témoignage, c'est que je suis indigne de son immense courage. Il est hors de question que je me défile devant les intimidations ! Alors, je n'oblige personne, mais qui m'aime me suive !

Ma véhémence a dû être persuasive : finalement, tout le monde m'a accompagnée. Et je sais qu'ils ne l'ont pas regretté. Aller au Yémen ou au Pakistan est un immense privilège. Il est important de montrer à ceux que l'on rencontre que l'on ne confond pas tous les habitants avec des talibans ou des terroristes. Ils vous remercient des yeux, le manifestent autant qu'ils le peuvent par des sourires, des attentions, une très grande hospitalité malgré la grande pauvreté. Les patrimoines historiques et culturels sont remarquables. Et il y a tant de choses à faire et à voir ! Très vite, Paris semble tout petit et sans intérêt par rapport à ce que l'on vit sur place. Dans ces pays arabo-musulmans, et a fortiori lorsqu'on est une femme, tout est urgence, menaces… Vivre, c'est affronter, se battre, ne pas plier. Ne pas avoir peur. Il faut être un roseau et non un chêne.

Les mariages précoces perdurent donc au XXIe siècle, et dans certains États où les mariages de mineures sont interdits, des intégristes voudraient revenir et légaliser des pratiques d'un autre temps, celui de l'Arabie du VIIe siècle pour copier les comportements du Prophète. Il faut lutter contre ces « doctrinaires qui veulent que leur système soit le seul, l'unique. Ce sont ces sectaires de la pensée et de l'action qui perturbent la paix universelle », ainsi que le disait Stefan Zweig lorsqu'il parlait des nazis.

En 2015, d'autres fascistes ont endossé des uniformes religieux pour imposer leur tyrannie et faire couler le sang.

La situation des filles dans ces pays se dégrade à une allure folle. Comment pourrait-il en être autrement sur ces terres minées par la pauvreté, les guerres tribales et les attentats sanglants perpétrés par Al-Qaïda ? Le tout dans le silence complice des grandes nations qui, la main sur le cœur, se revendiquent toutes des droits de l'homme.

Le sourire lumineux de Nada m'a donné le courage d'écrire sur un sujet aussi délicat que ces mariages honteux, validés par une interprétation littérale du texte coranique. On ne peut plus accepter en 2015 que des petites filles soient violées par des adultes avec la bénédiction de Dieu.

La France n'est pas épargnée. Loin de là. Environ soixante-dix mille jeunes filles seraient potentiellement menacées de mariage forcé sur notre territoire. Isabelle Gillette-Faye, médecin et militante du droit des femmes, rapporte le cas d'une petite mariée d'origine malienne, âgée de six ans.

Aujourd'hui je crie ma colère et mon désespoir devant notre silence. Oui, je pèse mes mots : notre responsabilité pèsera très lourd devant le tribunal de l'histoire. Et en particulier celle des musulmans qui se taisent devant les abominations perpétrées par ceux qui se réclament du même Dieu qu'eux.

Je reconnais qu'écrire sur un tel sujet pour une femme athée et de culture musulmane est audacieux, mais d'autres l'ont fait avant moi, comme le psychanalyste Fethi Benslama, qui, dans un manifeste courageux[1], dénonce l'oppression des femmes dont les conséquences, la haine de l'autre, structurent l'ensemble de la société. Si l'islam est une religion patriarcale – à l'instar des autres religions –, la situation est « plus virulente, plus cruelle, plus difficile à ébranler » car la discrimination a un fondement textuel, à savoir le Coran et les hadiths[2].

La sécularisation du droit dans les États musulmans – la séparation des organes religieux et étatiques – est la principale voie, voire l'unique pour protéger les femmes. Contrairement à ce que l'on dit trop souvent, c'est un concept que les musulmans peuvent entendre. Si, aujourd'hui, le débat semble impossible au sein de l'islam, ce principe « embryon » de la laïcité a été débattu dès le VIIIe siècle. Mais aujourd'hui des hommes sont menacés de mort lorsqu'ils le suggèrent. J'en veux pour preuve le philosophe et théologien musulman soudanais Mahmud Muhammad Taha qui, en 1985, a été condamné à mort et pendu à l'âge de soixante-seize ans pour avoir tenté de moderniser l'islam. Pourtant, le Prophète n'avait-il pas dit : « Un savant qui use de son savoir est préférable à cent adorateurs de Dieu » ?

Je ne suis pas une théologienne mais une juriste et une féministe convaincue. J'entends déjà les critiques qui me seront adressées. Mais je ne supporte

---

1. Fethi Benslama, *Déclaration d'insoumission à l'usage des musulmans et de ceux qui ne le sont pas*, Flammarion, Champs actuel, 2005, p. 35.

2. Les hadiths sont les paroles et réflexions émises par le Prophète telles que ses compagnons les ont rapportées.

plus l'hypocrisie, le déni des Occidentaux qui, par peur d'être taxés d'islamophobie, n'osent pas dire les choses telles qu'elles sont. Leur lâcheté conduit à sacrifier des fillettes. Par paternalisme, par culpabilité postcoloniale, par différentialisme, on se refuse à condamner des actes portant atteinte au droit le plus fondamental des enfants : le droit à l'intégrité de leur corps.

Malala

« Un enfant, un enseignant, un livre et un stylo peuvent changer le monde. »

Extrait du discours de Malala
devant l'Assemblée des Nations unies,
New York, 12 juillet 2013.

Une frêle silhouette portant un voile traditionnel pakistanais de couleur chatoyante s'avance au milieu d'une salle immense où résonne le cuivre des trompettes, tandis que l'assemblée se lève en applaudissant. Sous le tissu qui couvre une épaisse chevelure brune, le visage est rond, halé, souriant.

Nous sommes à Stockholm, le 10 décembre 2014. Dans quelques minutes, une jeune fille de dix-sept ans va recevoir le prix Nobel de la paix, conjointement avec l'Indien Kailash Satyarthi, militant pour les droits des enfants. La plus jeune lauréate de l'histoire du Nobel.

Cette adolescente à peine sortie de l'enfance s'appelle Malala Yousafzai et son histoire, le monde l'a découverte dans l'effroi, deux ans plus tôt.

9 octobre 2012. Nord-ouest du Pakistan. Des hommes appartenant au TTP (Mouvement des talibans du Pakistan, l'un des groupes islamistes armés les plus importants) arrêtent un autocar scolaire, juste devant l'une des écoles de la ville de Mingora, dans la vallée du Swat. Ils montent à bord et s'enfoncent

dans l'allée étroite du bus. Leurs pas s'immobilisent devant une fillette coiffée d'un châle noir, une écolière qui ressemble à toutes les autres mais que les talibans cherchent depuis des semaines.

Leur chef, le mollah Fazullah, a prononcé la fatwa finale ordonnant le meurtre de cette gamine parce qu'elle milite depuis des années pour dénoncer le régime de terreur des talibans qui ont décrété la fermeture de toutes les écoles de filles.

Malala… Son prénom n'a pas été choisi par hasard. Ses parents ont voulu rendre hommage à Malalai, de Maiwand, une femme d'origine pachtoune qui encouragea les troupes afghanes contre les Britanniques, lors de la guerre de 1880. Cette jeune femme, fille de berger, est devenue la Jeanne d'Arc des Pachtounes et, comme cette héroïne des temps passés, Malala va incarner l'espoir de tout un peuple.

Malala, des talibans la cherchent pour la punir. Malala doit disparaître parce qu'elle s'oppose aux despotes fondamentalistes, qu'elle est rebelle, trop libre. Aujourd'hui, il ne s'agit plus de la faire rentrer dans le rang mais d'éteindre la petite flamme qu'elle a allumée sur cette terre de ténèbres, le Pakistan, qui peut être un enfer pour les femmes.

Un barbu pointe son arme sur elle et tire à bout portant. Il y a des cris, une bousculade. Touchée à la tête et à la base du cou, l'enfant s'effondre. Les hommes s'échappent, la laissant pour morte.

Depuis janvier 2009, sous le pseudonyme de Gul Makai, Malala rédige un blog hébergé par le site de la plus britannique des chaînes de télévision, la BBC. À onze ans, elle y raconte la vie quotidienne d'une gamine dans une région subissant le joug des talibans. Elle a commencé à le tenir lorsqu'elle a compris que ces hommes pourraient la priver d'instruction, les talibans ayant publié un décret interdisant l'école aux filles. Craignant leurs représailles, beaucoup de familles ont progressivement retiré leurs enfants des écoles.

Malala le déplore, même si elle commence à comprendre le danger qu'elle court : « Il ne reste plus que onze élèves sur vingt-sept dans ma classe. Tout le monde a peur. Sur le chemin du retour vers la maison, j'ai entendu un homme dire : "Je te tuerai." »

Le blog de Malala, version moderne des anciens journaux intimes où l'on écrivait sa vie, ses rêves, est poignant parce qu'il ose dire les mots, poser les questions. Il n'est pas sans rappeler celui d'Anne Frank. Deux âmes sœurs, l'une musulmane, l'autre juive allemande réfugiée aux Pays-Bas, cachée pendant l'occupation nazie et qui, une dernière fois, voulut faire entendre sa voix espiègle, talentueuse et remplie d'espoir, avant d'être arrêtée et de mourir du typhus dans un camp d'extermination.

On a voulu bâillonner Anne Frank : aujourd'hui, son journal est l'un des livres les plus lus dans le monde. On ne se méfie jamais assez des petites filles bavardes…

Malala a survécu par miracle. La balle qui est entrée au-dessus de son sourcil gauche est ressortie à l'orée de l'épaule sans toucher l'œil ni le cerveau. Mais elle a perdu beaucoup de sang. Expatriée d'urgence au Royaume-Uni, elle a été sauvée par les médecins de Sa Majesté à l'hôpital de Birmingham.

On regrettera que la France n'ait pas fait le geste de l'accueillir dans son antenne médicale de Percy, juste à la frontière afghane, pour ne pas froisser ses relations avec les talibans au moment du retrait de ses troupes armées en Afghanistan. Le cynisme des relations internationales est un puits sans fond : le gouvernement français n'a-t-il pas reçu en catimini une représentation de talibans sous couvert de colloque géostratégique ? Les gouvernements passent, la realpolitik demeure…

Après plusieurs opérations chirurgicales et des jours de coma, lorsqu'elle peut enfin s'exprimer à travers un fragile filet de vie, Malala déclare : « Par mes prières, Dieu m'a donné une nouvelle vie, une seconde vie. Et je veux servir les autres. Je veux que toutes les filles, tous les enfants, bénéficient d'une éducation. »

Malala est sauve mais le parti des talibans lui promet la mort si elle revient sur sa terre natale. Pour ces fous de Dieu, l'instruction des filles est intolérable. À peine acceptent-ils qu'elles se penchent quelques heures par jour sur le Coran afin de pouvoir éduquer leurs enfants dans les valeurs islamiques. Pour eux, c'est déjà trop. La femme doit être soumise, comme une éternelle mineure, sous la coupe du père, du frère, puis de l'époux.

Ces fondamentalistes islamistes reprochaient à Malala d'avoir défié leur autorité en poursuivant ses études dans une école non religieuse. Mais lorsque l'on visite, comme je l'ai fait au Pakistan, les madrasas, ces écoles coraniques, on réalise toute la perversité de la démarche. Sous couvert de les nourrir, de les loger et de les faire étudier, celles-ci accueillent des petites filles qui, du matin au soir, apprennent le Coran par cœur – le Coran et rien d'autre –, balançant leur corps d'avant en arrière comme des automates, sans répit. Le tout contre monnaie sonnante et trébuchante que les parents paieront à la mosquée qui dirige la madrasa.

Les madrasas sont en réalité des incubateurs de terroristes, ferments du fondamentalisme islamique. Elles pullulent au Pakistan, soutenues par des financements gouvernementaux. Les parents, faute d'écoles publiques, y envoient leurs enfants alors même que ces établissements sont en réalité des écoles de la tyrannie. Autrefois réservées aux garçons, les filles y sont désormais accueillies dans un but bien précis d'endoctrinement.

La raison principale de leur « succès » est que les enseignantes sont en nombre insuffisant dans les écoles publiques de filles et que le corps professoral compte souvent des hommes. Or les pères de famille, peu éduqués et archaïques, refusent que leurs filles soient confrontées à un homme instituteur, par crainte d'atteinte à leur honneur.

Heureusement, des voix s'élèvent au Pakistan pour dénoncer ces écoles de la soumission pour les filles.

L'une de ces figures est une militante des droits de l'homme, remarquable par son courage et sa vision de l'égalité des sexes. Elle s'appelle Tahira Abdullah. Cette femme élégante à la longue chevelure poivre et sel, qui ne porte pas le voile, a échappé à plusieurs attentats sans jamais abandonner son combat.

Elle construit des écoles mixtes dans les quartiers les plus pauvres d'Islamabad. « La mixité est très importante, y compris pour le personnel enseignant », insiste-t-elle. C'est au sein de l'école qu'on apprend le vivre-ensemble, à se connaître et à se respecter mutuellement.

Elle condamne les madrasas financées par l'Arabie Saoudite qui propagent des idéologies islamistes wahhabites et salafistes, fondées toutes les deux sur les lectures les plus rigoristes du Coran.

En cela, l'attitude de l'Arabie Saoudite est criminelle : profitant de la pauvreté de pays qui n'ont pas les moyens d'investir dans des structures éducatives, elle leur donne de l'argent et impose, en contrepartie, que la religion soit intégrée aux programmes scolaires. L'instruction doit être en conformité avec les règles du wahhabisme même si celles-ci portent atteinte aux droits fondamentaux ou à l'intégrité des personnes.

En France, Tahira serait considérée comme une dangereuse islamophobe ! Moi, j'ai été bluffée par son charisme, sa force, son endurance, sa joie à concrétiser son idéal au quotidien. Elle incarne l'esprit des Lumières à travers l'une de ses figures les plus humanistes : Condorcet, fervent défenseur du principe d'égalité et du droit à l'instruction.

Il avait bien compris que la Révolution de 1789 ne pourrait être effective que si on libérait les femmes et les hommes de l'ignorance, du fanatisme et de la superstition : « La liberté civile ou politique n'est rien si l'on en demeure prisonnier. Seule l'instruction est libératrice, mais pas n'importe laquelle. Elle doit être exempte de toute doctrine politique et ne doit être assujettie à aucune autorité religieuse. » Condorcet avait l'intuition de la nécessité d'une école laïque[1]. Telle est, en résumé, la philosophie du traité de l'instruction qu'il écrit en 1791 et que nous devrions tous relire. De nos jours, c'est l'inverse qui se produit, sous nos yeux et sans susciter la moindre désapprobation de la communauté internationale. Y compris aux États-Unis, terre de toutes les libertés où, au nom de Dieu, il est devenu compliqué voire impossible d'enseigner la théorie de l'évolution. Certains États y ont même renoncé : Dieu versus Darwin[2], c'est la nouvelle bataille !

Depuis le milieu des années 2000, des barbus font régner la terreur au Pakistan. L'un de leurs crimes les plus retentissants fut l'assassinat, après l'échec de plusieurs attentats suicides, de l'ancienne Premier

1. Élisabeth Badinter et Robert Badinter, *Condorcet, un intellectuel en politique*, Livre de poche, 1990, p. 454.

2. Voir Jacques Arnould, *Dieu versus Darwin : les créationnistes vont-ils triompher de la science ?*, Albin Michel, 2007.

ministre Benazir Bhutto, en 2007. Bien malgré elles, Benazir, fille d'un ancien chef d'État, et Malala, fille d'un instituteur, deux femmes dont les origines sociales s'opposent, sont devenues des martyres de la cause féminine.

Malala était une petite fille comme les autres. Sa chance fut d'être sensibilisée à l'importance des études martelée par son père, militant du droit à l'éducation. Dans une société patriarcale comme la société pakistanaise, lorsqu'un père décide d'envoyer ses filles à l'école, tout devient possible.

La tentative d'assassinat a éveillé en elle une véritable conscience politique : « Ils ont voulu me faire peur et me faire taire, dit-elle. Ils m'ont redonné confiance et courage... »

La force tranquille de Malala laisse sans voix. Mise à la une de *Time Magazine*, elle est reconnue comme l'une des cent personnalités les plus influentes du monde. Chelsea, la fille de Bill Clinton, y dresse son portrait. En juillet 2013, Malala s'est exprimée à la tribune des Nations unies. Quelques phrases de son discours devant les ambassadeurs du monde entier et le secrétaire général, Ban Ki-moon, resteront dans l'histoire : « Les extrémistes ont peur des livres et des stylos. Le pouvoir de l'éducation les effraie. Un enfant, un enseignant, un livre et un stylo peuvent changer le monde. »

Dans l'assemblée, un homme souriait en s'essuyant les yeux : son père, en lutte contre les talibans, celui sans qui elle ne serait sans doute pas là aujourd'hui tant son rôle fut primordial. « Mon père nous a élevés dans la même égalité, mon frère et moi, nous donnant autant de droits à l'un qu'à l'autre... », dit-elle. Son père, « le faucon » ainsi qu'elle l'appelle, a su rompre avec un modèle archaïque, comme l'ont fait mes parents. Les tantes de Malala n'avaient pas le droit d'aller à l'école. Elles restaient à la maison en attendant qu'on les marie. Ce modeste instituteur n'a pas voulu du même destin pour sa fille, porté par cette conviction que les problèmes du Pakistan viennent du manque d'instruction de ses habitants, d'où son implication personnelle qui est allée jusqu'à créer une école à Mingora.

En lui remettant le prix Nobel de la paix, le monde entier a rendu à Malala le plus bel hommage qui soit.

Les Français qui honorent, comme il se doit, la jeune combattante à travers des prix, des colloques, des articles, des reportages, devraient se rappeler la chance qu'ils ont de vivre dans un pays de libertés, mais il semble bien qu'ils l'oublient.

En France, depuis quelques années, des adolescentes refusent, volontairement ou pas, toute scolarité pour conserver ce qui était avant un foulard mais qui, peu à peu, s'est transformé en voile couvrant la chevelure et l'ensemble du corps. Alors qu'au Pakistan une petite musulmane a risqué sa vie pour pouvoir étudier. La modernité n'est pas là où l'on croit, la modernité est ailleurs et peut surgir de la désolation sous les traits de Malala.

Une enfant a pu s'exprimer, mais à quel prix ! Pour une que l'on a écoutée, combien sont condamnées au silence et abandonnées par la communauté internationale ?

Pour mon documentaire, j'ai voulu montrer ces écolières au courage exemplaire. *Interdites d'école* : son titre est sans ambiguïté. Quels que soient les lieux visités – Yémen, Pakistan, Kenya, Guatemala, Cambodge –, terres de paix ou de guerre, des gamines sont prêtes à mourir pour apprendre à lire et à écrire, comme s'il s'agissait pour elles de questions aussi vitales que boire ou manger. Toutes sont des obstinées, des tenaces, toutes ont la même vivacité, toutes partagent le bonheur de se rendre en classe. Elles sont peut-être l'unique et dernier rempart contre toutes les formes d'obscurantisme, et nous avons un devoir envers elles.

À côté de cela, en France, cent cinquante mille élèves sortent du système scolaire sans aucun diplôme. L'école étant vécue par ces jeunes comme une contrainte, on a même expérimenté la suspension des allocations versées aux familles pour lutter contre l'absentéisme. Si l'on inverse le raisonnement, cela revient à ce que l'État paie ses enfants pour qu'ils aillent à l'école… On marche sur la tête !

Lors de mon reportage, j'ai pu rencontrer la jeune Malala dans la banlieue de Birmingham où elle vit désormais. En toute liberté et en paix ? A priori, oui. Quoique…

Le Royaume-Uni, berceau du régime parlementaire, de la *Magna Carta* de 1215, embryon de la première déclaration des droits et du modèle communautariste respectueux des traditions étrangères, semble le refuge idéal. Néanmoins, elle se doit d'être vigilante. En effet, la société anglaise a beaucoup changé sous la pression de groupes radicaux qui prospèrent au pays de l'absolue liberté d'expression. À tel point que, dans les années quatre-vingt-dix, des journalistes de la presse arabe ont créé le néologisme Londonistan[1] pour définir tous les leaders et groupes islamistes chassés de leurs pays d'origine et venus s'installer à Londres afin de diffuser ce nouveau fascisme.

Selon un sondage récent, 40 % des deux millions de musulmans anglais souhaiteraient vivre sous le régime de la charia. D'ailleurs, des tribunaux islamiques ont officiellement vu le jour et rendent des jugements fondés sur la loi islamique, avec l'agrément de l'État britannique[2]. Récemment, la Law Society, l'équivalent de l'ordre des avocats, a adressé des recommandations à ces derniers afin de se conformer aux préceptes religieux de l'islam dans le règlement des successions. Désormais, ils pourront, par exemple, rédiger des testaments inégalitaires se référant à la charia où la femme n'a droit qu'à la moitié des parts de l'homme.

Tout aussi grave, à Birmingham, des écoles publiques multiconfessionnelles sont aux mains des islamistes avec de nouvelles règles d'éducation, comme la fin de la mixité. À présent, les filles sont séparées des garçons dans les salles de classe, des haut-parleurs ont

---

1. Dominique Thomas, *Le Londonistan. La voix du Djihad*, Michalon, 2003.

2. « Non à la charia ! », *Sunday Telegraph*, repris dans *Courrier international*, 24 mars 2014.

été installés dans la cour – pour diffuser les appels à la prière, le mois de jeûne du ramadan est imposé à tous, les cours de biologie ont été expurgés de toute allusion à la sexualité ou à la reproduction. Sans oublier la classe verte à La Mecque ! Le Premier ministre, David Cameron, a été contraint d'intervenir devant la Chambre des communes en s'engageant solennellement à faire respecter les valeurs britanniques contre les prêcheurs de haine[1].

Aujourd'hui, le Royaume-Uni est une des plaques tournantes du radicalisme religieux islamique et, avec la France, l'un des deux pourvoyeurs d'islamistes en Europe, alors qu'ils pratiquent deux politiques radicalement différentes en matière d'intégration : l'un, le modèle républicain, l'autre, le modèle communautariste. Quand on sait que l'un des actes les plus barbares, ces derniers mois, à savoir la décapitation de l'otage américain James Foley, a été apparemment commis par un sujet de Sa Majesté, Abdel-Majed Abdel Mary, un ancien rappeur de vingt-quatre ans parti faire le djihad en Syrie et en Irak en juillet 2013, on se dit que Malala n'est peut-être pas vraiment en sécurité en Angleterre... Et James Foley n'est pas le premier dont l'assassinat a été orchestré par un Britannique : en 2002, Omar Sheikh, vingt-sept ans, né à Londres, diplômé de la London School of Economics, aurait organisé l'enlèvement puis la décapitation de Daniel Pearl, journaliste américain au *Wall Street Journal*.

1. Marc Roche, « Le noyautage d'écoles publiques à Birmingham par des islamistes provoque un scandale politique », *Le Monde*, 10 juin 2014.

D'après les estimations, mille cinq cents Britanniques seraient partis faire le djihad en Irak[1] au côté de Daesh.

Il m'a fallu des mois de négociations avec le père de Malala pour pouvoir la rencontrer. Très entourée, sollicitée, elle donne des interviews, des conférences à travers le monde, avec un agenda qui n'a rien à envier à celui d'un ministre ! Elle est également à la tête d'une fondation dédiée à la scolarisation des filles.

D'immenses précautions ont été prises pour notre rendez-vous. Loin de la sublime vallée du Swat aux montagnes enneigées, elle habite désormais une maison cossue dans la banlieue de Birmingham. Son père m'accueille avec chaleur et me conduit dans le salon où Malala doit nous rejoindre. L'instant d'après, je la vois descendre gracieusement l'escalier qui mène aux chambres du premier étage.

Son visage porte encore les traces de l'agression avec une légère paralysie faciale, mais il rayonne comme jamais. Elle sourit timidement lorsque je lui dis que je suis triste pour elle qu'elle soit loin de son pays, de ses amies, par la force des choses, et qu'elle n'ait plus la vie d'une jeune fille « normale ». Elle me rassure d'un joli rire : elle aime sa nouvelle vie. Et elle s'y amuse aussi en regardant de vieilles séries sur Internet !

Elle réajuste délicatement son voile coloré, comme celui qu'elle portait lors de la remise du prix Nobel à

1. Douglas Murray, « Djihadistes made in London », *The Spectator,* 21 août 2014.

Stockholm. Pour cette cérémonie, elle avait troqué le noir et le brun contre un joli rose, voulant sans doute apporter une touche rafraîchissante et gaie… tout en respectant une forme de traditionalisme propre à sa culture pachtoune.

L'intention était belle, chère Malala, mais j'aurais tellement aimé que, ce jour-là, tu ne portes pas le voile ! Que devant les caméras du monde entier, tu t'extraies de cette tradition archaïque en étant tête nue, comme sur cette jolie photo où tu souris à l'objectif, cheveux au vent, et que tu dois bien aimer puisque tu l'as mise dans ton livre[1]. Cela aurait été un signe fort envers tes millions de sœurs emprisonnées sous les niqabs et les burqas. Elles qui n'ont pas le choix.

J'espère bien revoir un jour Malala sans son voile, ainsi que les jeunes filles qu'elle avait conviées à la cérémonie, toutes voilées, elles aussi… Sans en faire une obsession, je reconnais volontiers que cette stigmatisation vestimentaire me hérisse ! D'autant que lorsque je suis allée à Karachi, Lahore ou Islamabad, j'ai croisé beaucoup de femmes qui ne portaient pas le voile, et pas seulement dans les grandes villes. Quant à la Fondation Nobel, je trouve curieux qu'elle ait récompensé Tawakkol Karman, une Yéménite qui appartient au parti islamiste Al-Islah… Voilée, elle aussi.

Hormis l'écrivain Taslima Nasreen, souvent honorée par des distinctions, les Occidentaux ont curieusement

---

1. Malala Yousafzai, *Moi, Malala, je lutte pour l'éducation et je résiste aux talibans,* Calmann-Lévy, 2013.

tendance à distinguer des personnalités féminines qui appartiennent à une mouvance radicale de l'islam. Comme si, pour eux, la femme musulmane devait toujours être voilée !

On me pardonnera ce mauvais jeu de mots, mais je crois que c'est nous qui nous voilons la face. Et qu'on ne me dise pas que les femmes voilées sont libres et émancipées. Un simple regard vers la majorité des pays du monde arabo-musulman montre que le voile est porteur de symboles et, en premier lieu, celui de l'infériorisation et de l'asservissement de la femme.

Au Yémen, toutes les femmes portent l'*abaya*, la longue robe noire ou marron, et des gants qui cachent le moindre centimètre carré de peau. L'influence saoudienne a été dramatique pour les femmes. Il y a trente ans, peu d'entre elles étaient voilées. Aujourd'hui, ce sont des ombres noires qui glissent le long des murs de Sanaa, silencieuses, presque toutes identiques.

Le plus choquant pour la laïque républicaine que je suis a été de constater que l'islamisme gangrenait aussi les écoles du Yémen. Les professeures sont en niqab et gantées. Jamais, lors de ma visite dans ces établissements, je n'ai vu le visage d'une enseignante. Et je n'ai même pas croisé leur regard car elles baissaient les yeux devant leur directeur. C'est déroutant. Comment le savoir peut-il se transmettre et des liens de confiance se créer entre professeur et élèves lorsque le visage de votre interlocuteur vous est inconnu ? Dans ce pays, jusqu'à l'école primaire, les petites filles peuvent s'habiller comme elles le souhaitent. Ensuite, c'est l'uniforme imposé, une *abaya* kaki ou marine et le voile obligatoire. Pour moi, la négation du droit des femmes. La négation de la femme tout court.

Élisabeth Badinter l'a parfaitement décrit dans un essai résumant son combat pour l'universalisme des droits. « Le port du foulard imposé par les courants fondamentalistes signifie qu'une femme doit cacher ses cheveux pour ne pas être objet de désir. Il est le signal pour tous les hommes qui ne sont pas de sa famille qu'elle est inabordable et intouchable. Sans lui, non seulement elle est provocante mais elle endosse la responsabilité de cette provocation et de ses suites. D'emblée, elle est coupable de susciter des désirs impurs alors que l'homme est innocenté de les éprouver. Son corps n'a pas la même valeur que celui de l'homme. Il est une menace qu'il faut dissimuler pour le désexualiser et le rendre inoffensif. Le foulard des jeunes lycéennes françaises et la burqa des Afghanes ont la même signification symbolique : cachez ce corps que je ne saurais voir sous peine que j'en fasse ma chose. Seule différence : le degré de fondamentalisme qui n'est évidemment pas le même d'une société à l'autre[1]. »

L'interview de Malala s'achève. Elle ne s'est pas départie de son sourire, mais je la sens investie d'une mission dont la charge me semble bien lourde pour

1. Élisabeth Badinter, *Fausse route,* Le Livre de poche, 2003, p. 165.

ses frêles épaules. Lorsqu'elle parle de Benazir Bhutto, ses yeux s'illuminent et j'entends bien qu'elle aimerait marcher sur ses traces. Même en sachant l'issue fatale de celle qui est son modèle, elle dit vouloir devenir Premier ministre de son pays pour scolariser tous les enfants.

Ce sera une autre bataille car, au Pakistan, beaucoup la rejettent. Y retourner actuellement serait suicidaire. J'en veux pour preuve ma rencontre avec Sami ul-Haq[1], chef spirituel des talibans, ancien compagnon de route de Ben Laden.

Je ne pensais pas qu'il allait tester ma patience en me faisant attendre trois heures, assise dans un garage. Quand je suis apparue devant lui, en tunique et pantalon, sans voile par fidélité à mes principes, j'ai bien senti que cette vision lui brûlait les yeux. Il me parlait en évitant mon regard et lorsque, par inadvertance, il le croisait, il fronçait les sourcils, comme si je représentais le diable. Si le discours qu'il m'a tenu sur Malala n'avait pas été si édifiant, j'en aurais ri.

Sami ul-Haq pense tout simplement qu'elle est manipulée par les Occidentaux qui critiquent l'islam et son Prophète. Il la compare à Salman Rushdie, objet d'une double fatwa, du régime iranien et de la

---

1. Sami ul-Haq vit à Nowshera, dans la province du Khyber Pakhtunkhwa où il dirige une des plus grandes mosquées du pays héritée de son père. Il veut établir la charia au Pakistan. Il s'oppose aux écoles mixtes, interdisant de facto aux filles d'aller à l'école. Si Sami ul-Haq est peu connu en Europe, il est craint dans son pays. Ami et compagnon de route de Ben Laden, il n'a pas hésité à envoyer des élèves de sa madrasa faire le djihad en Afghanistan.

branche de la péninsule Arabique d'Al-Qaïda, celle précisément qui est à l'origine de l'assassinat de Charb le 7 janvier 2015.

Il n'est pas le seul à avancer cette hypothèse. Les classes moyennes éduquées pakistanaises ne veulent voir en Malala qu'une porte-parole du monde occidental, en particulier des États-Unis, dans un pays où l'anti-américanisme atteint 85 % de la population ! Et pour cause. Au nom de la lutte contre le terrorisme, les autorités américaines, ne souhaitant pas engager de troupes au sol, mènent une guerre qui ne dit pas son nom à l'aide de drones qui frappent trop souvent des civils. Les ONG Amnesty International et Human Rights Watch signalent régulièrement les bavures de la CIA, qu'elles accusent de violer les droits de l'homme. En 2013, près de cinq mille personnes auraient été tuées par ces engins américains[1].

Malala a bien compris que si elle ne veut pas être soupçonnée d'intelligence avec les Américains, elle doit demander l'arrêt des attaques de drones dans son pays. Ce qu'elle fait chaque fois qu'elle s'exprime à une tribune.

Elle n'est pas pour autant au bout de ses peines… D'autant que les différents prix qu'elle a reçus à l'étranger n'ont fait qu'accréditer la thèse farfelue de son instrumentalisation. Que le magazine *Time* l'ait désignée en 2013 parmi les personnalités les plus influentes n'a pas arrangé son image. Une partie de la population pakistanaise la déteste tellement que la

1. « Drones : « Obama s'arroge le droit de tuer », *Le Figaro*, 7 février 2013.

date du 10 novembre a été décrétée « journée anti-Malala » ! Une fédération d'écoles privées comptant près de cent cinquante mille établissements scolaires en est à l'origine. Pour Mirza Kashif Ali, le directeur de cette fédération, « Malala nuit à l'image de son pays en critiquant l'idéologie pakistanaise, ainsi que la religion et la constitution du pays »...

La terrible odyssée de Malala dans ce monde archaïque et de tous les obscurantismes ne pouvait que faire remonter ma colère de fille d'une maman exclue de l'instruction parce qu'elle était fille : vouloir assassiner une enfant qui s'est obstinée à étudier malgré la fatwa du mollah Fazullah, comment est-ce possible au XXIe siècle ?

Ce que je comprends, c'est que Malala devait disparaître à tout prix parce qu'elle est l'incarnation de la liberté. Il fallait éteindre l'espoir qu'elle pouvait faire naître chez les jeunes filles, chez toutes les femmes qui vivent dans la nuit.

Il y a quelque chose de fascinant à tenter de comprendre le cheminement qui amène un individu à braver tous les dangers au nom d'un idéal à atteindre. Au Pakistan, cet idéal est vital pour le développement du pays. En effet, sur presque deux cents millions d'habitants, trente millions d'enfants n'ont pas accès à l'école, en majorité des filles. D'une part, parce que les parents refusent de les instruire, la démarche n'étant pas « bien vue », d'autre part, parce que le nombre d'écoles pour les filles est insuffisant. Pourtant, les idées ne manquent pas : en l'absence de locaux, on pourrait partager la journée en deux, le matin les garçons, l'après-midi les filles. Ce serait simple à organiser, mais sans volonté politique rien ne se fera.

62 % des filles pauvres, entre sept et seize ans, ne sont jamais allées à l'école. Seul 2 % du PIB pakistanais est consacré à l'éducation nationale. En comparaison, le Kenya consacre 6,7 % de son PIB à l'éducation.

Par ailleurs, on ne compte plus les écoles détruites par les talibans. La Coalition mondiale pour la protection de l'éducation contre les attaques, la GCPEA, précise qu'entre 2009 et 2012, il y a eu huit cent trente-huit attaques contre des écoles, en moyenne quatre par semaine, et des centaines de milliers d'enfants privés d'instruction !

Rien n'arrête ces illuminés sanguinaires dont on se demande parfois s'ils sont pères de famille... Le 16 décembre 2014, six talibans armés et porteurs d'explosifs ont attaqué une école de Peshawar, dans le nord-ouest du Pakistan, faisant plus de cent trente morts, des enfants en majorité. Ils ont eu ensuite l'obscénité de s'en vanter dans un communiqué. La monstruosité de cet acte suscite dégoût, horreur, larmes, cris. Quel Dieu peut dicter à des hommes de s'acharner ainsi sur des enfants ?

Pauvre Pakistan... Ce pays, je le connais, je l'ai parcouru en tous sens, d'Islamabad à Karachi, de Lahore à Mirweela, de Nowshera à Taxila, et je l'aime. On passe des montagnes enneigées du Swat appelé la « Suisse du Pakistan » au désert du Cholistan dans la province du Penjab. La civilisation du Gandhara ancienne de plus de dix siècles est d'un raffinement infini, avec des sites archéologiques bouddhiques exceptionnels. Loin des clichés occidentaux qui les dépeignent rustiques et sans apprêts, les femmes soignent leur apparence comme je l'ai rarement vu. Elles entretiennent avec les derniers produits cosmétiques à la mode leur longue chevelure brune qu'elles ne cachent point et elles ont bien raison… même si j'étais un peu jalouse de leur beauté. La seule fois de ma vie où j'ai eu envie de me cacher sous une burqa fut au Pakistan où j'aperçus dans le hall de l'hôtel des femmes aux parures splendides alors que moi j'étais dans un pauvre jean !

Je me suis retrouvée dans chacune d'elles, dans leur courage et leur détermination à s'émanciper de la tutelle des hommes par l'instruction. Alors, aujourd'hui plus que jamais, je suis pakistanaise et je pleure encore avec les familles la mort de ces écoliers sacrifiés sur l'autel de l'intégrisme islamiste.

Dans le monde, plus de soixante-cinq millions de petites filles ne sont pas scolarisées. Les croyances les plus archaïques perdurent. En Inde, une majorité de familles estiment qu'« éduquer une fille, c'est comme arroser une plante dans le jardin de son voisin ». Proverbe que, dans son immense sagesse, le Mahatma Gandhi a condamné, lui qui encourageait l'éducation des filles : « Éduquer un homme, c'est éduquer un individu. Éduquer une femme, c'est éduquer tout un peuple ! »

Bien qu'elle ait grandi dans une région reculée en terre pachtoune, Malala a eu très tôt conscience de notre lâcheté : « J'ai réalisé l'importance de l'école au moment où elle a été interdite dans le Swat. Je me suis demandé pourquoi, alors que de telles atrocités sont commises contre nous, personne n'osait les dénoncer. »

Oui, Malala, cette question, je me la pose souvent moi aussi, et nous sommes un certain nombre à nous demander pourquoi ceux qui pourraient condamner ces exactions gardent le silence. Ton immense résistance nous incite à réfléchir sur notre abdication à défendre des valeurs universelles pourtant inscrites dans le préambule de la Constitution de 1946 et repris dans la Constitution de 1958. Elle interroge notre courage, notre conscience. Notre paralysie, notre mutisme sont coupables. L'esprit des Lumières nous a quittés.

Si l'histoire de Malala résonne en moi de manière particulière, c'est qu'elle me rappelle mon père né dans les montagnes de Blida, ma mère dans sa ferme près de Mascara, l'un et l'autre ne sachant ni lire ni écrire, qui, pour leurs filles, ont voulu l'instruction, la liberté et l'indépendance. Démentant ainsi tous les schémas théoriques de reproduction sociale et culturelle chers à Bourdieu. Tout passe par l'école, ils l'avaient compris sans qu'on le leur explique…

L'école m'a permis de m'échapper du quotidien pesant et asphyxiant. Chez moi, l'envie d'apprendre était précoce, contrairement à mes frères et sœurs qui fuyaient l'étude. Ma sœur m'a raconté qu'à l'âge de deux ans, je suppliais ma mère de m'emmener à l'école ! Je m'accrochais à ses jambes en pleurant. Mais les circulaires du ministère de l'Éducation nationale étaient strictes : pas de scolarisation en dessous de trois ans. J'étais condamnée à rester à la maison !

Lorsque enfin ce vœu fut exaucé, je voulus en profiter pleinement. Alors que les plus jeunes n'allaient en classe que le matin, moi je hurlais pour y rester toute la journée, exaspérant ma mère, très attachée à sa sieste quotidienne, dont je contrecarrais les projets de tranquille oisiveté.

J'étais toute petite et déjà très déterminée ! Certains diront trop ! Quand, pour mon film, je me suis retrouvée au Kenya, sur la terrasse de la Kibeira School For Girls avec Elisabeth et ses copines, je me suis reconnue dans leur volonté farouche. Chaque jour, elles traversent le ghetto de Kibeira, près de Nairobi, un des plus pauvres, des plus peuplés et des plus dangereux au monde, marchant des heures dans des ruelles sombres jonchées d'immondices. Pour rien au monde, elles ne manqueraient un jour d'école. Au risque d'être détroussées, violées, tuées, comme cela arrive régulièrement dans les impasses sordides de ce gigantesque bidonville.

Elisabeth a huit ans. Le matin, elle se lève à 5 heures car elle a une heure de marche jusqu'à l'école. Aujourd'hui, j'ai décidé de l'accompagner, de cheminer avec elle, main dans la main, et instinctivement je me comporte comme si j'étais avec ma fille, May. Je me mets devant elle pour la protéger ! La route n'est que boue, trous et bosses, excréments, flaques d'eau, on dirait qu'on a vidé une décharge entière sur le parcours. Nous ne sommes pas en avance et il fait jour, mais j'imagine le même trajet dans l'obscurité. Un cauchemar...

« Les enfants traversent le ghetto tôt le matin, et le soir quand la nuit est tombée. Ils sont des proies faciles... », m'explique une professeure de l'établissement qui se bat contre l'impunité des violeurs. La petite Félicité n'a pas eu de chance. Elle est tombée dans leurs griffes alors qu'elle n'avait que huit ans. Jamais je n'oublierai cette adorable petite fille. Ses yeux semblaient regarder quelque chose que personne ne pouvait voir, son regard avait perdu l'insouciance de l'enfance. Elle portait sur son visage la blessure honteuse qu'on lui avait fait subir et dont la plaie ne se refermera sans doute jamais. Félicité s'est fait violer sur le chemin de l'école. Elle qui était bonne élève, y retourner aujourd'hui est au-dessus de ses forces, la vue d'un homme la terrorise. Pourtant, elle ne doit pas avoir abandonné son envie d'étudier car, lorsque je lui demande quel est son rêve d'avenir le plus cher, elle répond sans hésitation : « Docteur... »

L'idéalisme, parfois naïf, cette volonté inébranlable de s'instruire contre vents et marées, je les reconnais. Ils sont ancrés en moi au plus profond, transmis par mes parents algériens qui, dans ce joli département français appelé Algérie, n'ont eu accès à aucun enseignement quel qu'il soit.

Dans sa maison du ghetto de Kibeira, Jocelyne, la maman d'Esther, me confie qu'elle non plus n'a pu aller à l'école, mais que sa fille a « le devoir » d'y aller. D'ailleurs, l'aînée de ses enfants est déjà à l'université. Le devoir... j'ai l'impression d'entendre ma mère et de la voir dans sa robe aux imprimés criards achetée par correspondance dans le catalogue Daxon. Les images se superposent, se confondent : Jocelyne qui ne parle que le swahili alors que sa petite Esther est déjà bilingue, maman qui parlait si mal le français mais qui nous écoutait attentivement lorsque nous rentrions de l'école, le soir, après l'étude.

Je me suis assise près de Jocelyne, dans la pièce unique de sa maison au sol en terre battue, sans électricité ni eau courante. Son mari, un fonctionnaire à la retraite, est attablé un peu plus loin, grave et silencieux. Droit comme la statue du commandeur, il écoute sa femme. Elle ne possède rien d'autre que sa dignité, son courage et la conscience que c'est par l'instruction que ses enfants réussiront. Je la regarde et me dis qu'avec une mère comme la sienne, Esther a peut-être dans ses mains la chance de sa vie. Je suis convaincue qu'un jour elle sera présidente de la République. Elle a été une brillante déléguée pour son école. Son propos sur le rôle de l'instruction pour les filles est digne d'un ministre de l'Éducation.

Presque tous les États ont ratifié la Convention de 1979 sur l'élimination de toutes les formes de discrimination à l'égard des femmes. Cette convention consacre solennellement le droit à l'éducation. Elle fait d'ailleurs obligation aux États de prendre « toutes les mesures appropriées pour éliminer la discrimination à l'égard des femmes afin de leur garantir des droits égaux à ceux des hommes en ce qui concerne l'éducation et en particulier pour assurer, sur la base de l'égalité de l'homme et de la femme », l'accès à tous les niveaux et à toutes les formes de l'éducation. La Convention des droits de l'enfant, signée en 1989, leur reconnaît des droits équivalents.

En dépit de cela, les États violent allégrement les droits des petites filles. « Contre la terreur, il n'y a pas de droit qui tienne. Là où règne la force, il n'y a aucun recours pour les vaincus[1] », écrivait Stefan Zweig, dans un accès de désespoir lucide.

Nombreux sont les pays qui invoquent des motifs religieux, culturels ou politiques pour justifier l'exclusion scolaire des filles. Tous les prétextes sont bons. Selon les chiffres de l'Unesco, près de deux tiers des analphabètes dans le monde, soit sept cent quatre-vingt-seize millions de personnes, sont des femmes. La raison en est simple, il s'agit de maintenir cet archaïsme qu'est la société patriarcale.

Sans bagage scolaire, elles deviendront des victimes soumises à la violence des hommes, à l'exclusion. L'instruction leur aurait permis de s'émanciper, d'avoir des compétences pour trouver un emploi, d'être autonomes financièrement. Mais ces effets bénéfiques vont au-delà. On estime, par exemple, que l'éducation des femmes pourrait sauver chaque année plus de un million huit cent mille vies en Afrique subsaharienne par la prévention des mariages et des grossesses précoces, la réduction du nombre des décès maternels et de la mortalité infantile, l'amélioration de la nutrition des enfants, etc.

1. Stefan Zweig, *Conscience contre violence,* Livre de poche, 2010, p. 213.

Les nouveaux tenants d'un patriarcat effréné se fondent sur une interprétation radicale de l'islam, comme au Nigeria et au Cameroun, où la secte Boko Haram, dirigée par Abubakar Shekau, qui compte plus de trente mille adeptes, fait des petites filles ses cibles privilégiées. Si on doutait encore de leurs desseins, la signification des mots « Boko Haram » ne laisse planer aucun doute : « L'éducation occidentale est un péché. » Tout est dit.

Pour Geneviève Garrigos, présidente d'Amnesty International France, la situation est simple : « Ce sont les femmes qui portent le changement. S'attaquer à elles, c'est une façon de déstructurer la société nigériane. Toutes ces jeunes femmes étaient scolarisées. L'objectif de Boko Haram est de faire régresser la société nigériane, et de figer le pays dans une structure traditionnelle, où la place des femmes est à la maison et pas à l'école. »

Les fous de Dieu ont compris que la liberté de conscience, la liberté individuelle passent par l'école. Seule l'instruction permet d'avoir la distance nécessaire pour critiquer les préceptes archaïques que les islamistes veulent instaurer avec la charia. Le bien le plus précieux que l'on puisse offrir à une petite fille est l'accès à l'école, l'accès à l'instruction.

Depuis plusieurs années, Boko Haram fait régner la terreur au Nigeria, avec une cruauté inégalée jusqu'à ce jour. Et ce, dans une quasi-indifférence ou en ne suscitant qu'une agitation stérile. Le 15 avril 2014, deux cent soixante lycéennes sont kidnappées par ce groupe de fanatiques à Chibok, dans le nord-est du pays. Cinquante-sept d'entre elles parviennent à s'enfuir mais les autres restent aux mains des islamistes. Cet acte terroriste a entraîné une mobilisation internationale sans précédent, du tout-Hollywood à la Maison Blanche en passant par le Vatican, de Barack Obama au pape François. *Bring back our girls*, lisait-on sur les panneaux qui fleurissaient partout sur Internet. Mais un an après leur enlèvement, les filles n'ont toujours pas été retrouvées. Et la vague d'indignation s'est évaporée au fil des semaines.

Depuis, on a appris qu'elles ont été converties de force à l'islam. Elles sont totalement voilées et ont été conduites au Cameroun ou au Tchad pour être offertes et mariées à des militants de Boko Haram contre la modique somme de deux mille nairas, soit huit euros. Celles qui n'ont pas été vendues sont devenues des esclaves sexuelles.

Ces crimes abominables sont commis au nom d'Allah le Miséricordieux. Décidément, l'histoire n'est qu'un perpétuel recommencement. Il y a six siècles, dans son *Traité des hérétiques*, Sébastien Castellion, méconnu du grand public mais défenseur de la liberté de pensée et de la tolérance bien avant Voltaire, dénonçait la tyrannie de Calvin qui persécutait ceux qui osaient remettre en cause la doctrine officielle de l'Église protestante à Genève, en leur faisant subir les pires tortures. Dénonçant le sort du théologien Michel Servet, brûlé sur un bûcher, Castellion écrivait : « Tuer un homme, ce n'est pas défendre une doctrine, c'est tuer un homme. On ne prouve pas sa foi en brûlant un homme, mais en se faisant brûler pour elle. »

Depuis 2009, Boko Haram s'en prend délibérément à la population civile nigériane. Des milliers de personnes sont tuées ou enlevées, des centaines de milliers d'autres contraintes de quitter leur foyer. Les témoignages sont terrifiants.

En ce début d'année 2015, alors que plusieurs millions de Français descendaient dans la rue pour dénoncer l'ignominie d'un attentat sans précédent contre *Charlie Hebdo* qui avait fait treize morts, la ville de Baga et ses alentours, seize localités des rives du lac Tchad, dans le nord-est du pays, ont été rasées, faisant plus de deux mille morts. Personne ne s'est levé pour dénoncer ces crimes contre l'humanité alors que le Nigeria vivait une semaine d'horreur absolue.

La valeur d'une vie n'est décidément pas la même selon les continents. Pour ces pauvres gens, pas de mobilisation de masse, pas de pétition, pas de bougies, pas de fleurs. Aucune manifestation n'a eu lieu pour dénoncer ces multiples Oradour-sur-Glane rappelant les heures les plus sombres du nazisme. Je veux croire que ces criminels de Boko Haram auront un jour à répondre de leur sauvagerie devant la Cour pénale internationale, comme les criminels nazis eurent à rendre des comptes au tribunal de Nuremberg.

Boko Haram ne recule devant rien pour semer la terreur, enrôlant de force des enfants pour mener ses actes terroristes. Récemment, une fillette de dix ans, munie d'une ceinture explosive, s'est fait sauter, causant la mort de dix-neuf personnes dans un marché bondé de Maiduguri, grande ville du nord-est du

Nigeria. Le fléau de Boko Haram gagnant du terrain en Afrique, la quasi-totalité des écoles dans l'Est nigérien, près du lac Tchad, le long de la frontière avec le Nigeria, ont été fermées, privant d'enseignement des centaines de filles contraintes de rester à la maison pour faire des tâches ménagères.

L'objectif de Boko Haram est de créer un État islamique dans le nord du Nigeria, et d'imposer la charia. Dans une interview, Amely James Koh Bela, militante pour le droit des femmes et des enfants, s'alarmait de la situation : « Le monde entier sait maintenant ce qui se passe au Nigeria. Ces hommes n'ont aucun respect pour les femmes et veulent les réduire à la condition d'esclaves. On ne peut pas accepter des choses pareilles, cette violence qui renvoie les gens des centaines d'années en arrière. Plus que jamais la femme est en danger, la fille est en danger, il y a urgence ! »

Comme avec Nada ou Malala, l'espoir et la lumière surgissent parfois de manière inattendue, souvent chez ces gamines qui semblent a priori si fragiles, et qui se révèlent être des véritables héroïnes.

Des lycéennes, par miracle, sont parvenues à s'échapper des griffes de Boko Haram. Elles ont eu le courage de retourner à l'école malgré les risques encourus. Le leader du groupe les a pourtant prévenues : il tuera les familles de celles qui reprendront leurs études.

Dans un article de février 2015, *Courrier international* révèle que certaines osent malgré tout transgresser le diktat de Boko Haram, alors qu'elles sont encore traumatisées par leur longue captivité. Vingt et une des cinquante-sept rescapées viennent de rejoindre le programme préparatoire de l'université américaine du Nigeria, à Yola, à trois cents kilomètres au sud de Chibok où l'enlèvement a eu lieu.

Tandis que les hommes de Boko Haram pillent, violent, tuent sans autres motifs que de vouloir imposer leur loi et leur foi, ces filles qui ont survécu au pire rêvent de devenir médecins ou ingénieurs pour aider à la reconstruction et au développement de leur pays déchiré par la guerre. La barbarie d'un côté, l'instruction de l'autre. Bel exemple de résilience pour ces écolières, et un sacré pied de nez aux pillards : l'école restera toujours la meilleure arme contre la violence.

Ces jeunes étudiantes ne pourront compter que sur elles-mêmes car les sociétés occidentales ne semblent pas mesurer la gravité de la situation. Pourtant, il suffit de lire la presse pour connaître l'atrocité et l'étendue des crimes de la secte islamiste.

Moi je refuse de me résigner car, ainsi que le disait le révérend Martin Luther King, « lorsqu'on ignore le mal, on en devient complice ». Je ne serai pas complice. Autant que faire se peut, je me battrai avec les rares organisations qui luttent pour qu'on n'oublie pas les jeunes lycéennes nigérianes.

J'ai évoqué le Nigeria mais j'aurais pu parler de l'Afghanistan. La jeune Shamsia a subi le pire des châtiments pour être allée à l'école. À Kandahar, deux hommes à moto l'ont agressée à l'acide sur le chemin du lycée avec quinze de ses camarades. La jeune fille a été gravement brûlée. Plusieurs opérations lui ont rendu un visage « acceptable » mais elle attend toujours qu'on lui rende justice.

Arrêtés et emprisonnés dans un premier temps, ses tortionnaires ont été libérés et vivent à quelques maisons de la sienne. Un proverbe afghan dit : « La place d'une femme est à la maison ou dans sa tombe. » Soutenue par son père, chômeur et analphabète, Shamsia a fait mentir le proverbe : elle a poursuivi ses études et, aujourd'hui, elle est institutrice.

C'est à peine croyable mais, dans ce pays, depuis cinq ans, sept cents écoles ont été attaquées. À Kandahar, berceau des talibans, les établissements publics, ciblés par ces fondamentalistes parce qu'ils ne se limitent pas au seul enseignement du Coran, sont protégés par des sacs de sable et des policiers armés !

Ici, la situation n'évolue guère. Certes, le gouvernement afghan a ouvert des écoles et promet d'éradiquer l'analphabétisme d'ici à 2020. Mais les menaces de mort à l'encontre des élèves, en particulier des filles, découragent les parents. C'est pourquoi les écoles clandestines, créées sous le règne des talibans, accueillent de plus en plus d'élèves. Il en existe cent trente à Kandahar, toutes financées par l'aide internationale.

Malgré tout, un léger espoir est apparu avec le développement de milices citoyennes dans la région de Kandahar : quelque trois cent cinquante hommes se sont d'ores et déjà rangés derrière l'État pour le soutenir dans son combat contre la terreur.

En revanche, le départ des troupes étrangères, notamment des soldats français, n'arrangera pas les choses. On redoute un durcissement des talibans lorsque tous les témoins extérieurs seront partis...

Malheureusement, les siècles passent et les dérives des religions demeurent aussi meurtrières. À propos de la religion catholique, Voltaire, dans son *Traité sur la tolérance*, écrivait : « La fureur qu'inspirent l'esprit dogmatique et l'abus de la religion chrétienne mal entendue a répandu autant de sang, a produit autant de désastres, en Allemagne, en Angleterre et même en Hollande, qu'en France[1]. »

Il est vrai que catholiques et protestants eurent leurs lots de torturés, de décapités et de brûlés sur le bûcher. L'obscurantisme n'est pas l'apanage d'une seule religion, toutes ont connu leurs périodes d'intolérance, de cruauté et de persécution. Et les différentes inquisitions n'ont rien à envier aux intégristes islamistes du XXIe siècle.

Dans le *Traité des hérétiques,* Sébastien Castellion affirmait que « le sang souille toute idée, la violence rabaisse la pensée[2] ». Il saisit l'occasion pour développer une réflexion sur l'intolérance dans la religion chrétienne que j'ose faire mienne aujourd'hui en remplaçant les mots « Christ » par « Mohammed », « chrétien » par « musulman », « hommes » par « filles » :

---

1. Voltaire, *L'Affaire Calas et autres affaires. Traité sur la tolérance,* Gallimard, Folio classique, 1975, p. 104.

2. Cité par Stefan Zweig, *Conscience contre violence, op. cit.*, p. 182.

« Qui, autrement, voudrait devenir musulman quand il voit que ceux qui confessent le nom d'Allah sont assassinés par d'autres musulmans sans aucune miséricorde et traités plus cruellement que des brigands ou meurtriers ? Comment peut-on louer Allah dans de telles conditions si lorsqu'on émet une opinion différente de celle des puissants, on est brûlé vif au nom d'Allah ? Voire, quand on réclamerait Allah, à haute voix, au milieu de la flamme, et crierait à pleine gorge qu'on croit en lui. C'est pourquoi il faut mettre fin, une fois pour toutes, à cette folie qui imposerait de torturer et de tuer des filles uniquement parce qu'elles ont d'autres opinions que les puissants du jour. »

On s'attaque aux filles mais, plus largement, aux livres et au savoir. Les autodafés, que l'on croyait disparus avec les nazis, ont réapparu avec les islamistes radicaux. Dans les zones de l'Irak occupées par l'État islamique, un autodafé géant est passé totalement inaperçu. Les combattants de cette organisation de truands sanguinaires ont envahi la Bibliothèque centrale de Mossoul et le musée pour incendier des centaines de manuscrits et détruire à coups de pioche des œuvres antiques, qui sont aujourd'hui perdus à jamais. En 2013, au Mali, des manuscrits datant du XIe siècle ont été détruits par Ansar Dine, branche d'Al-Qaïda dans la région. En mars dernier, à Tunis, deux terroristes ont pénétré dans un musée, le célèbre Bardo, et abattu de sang-froid plus d'une vingtaine de visiteurs. Ce lieu n'a pas été choisi au hasard par l'EI, il est le symbole de l'histoire prestigieuse de Carthage, l'histoire de la Tunisie romaine et byzantine. Quelques jours plus tard, nous apprenons qu'au Kenya, à environ cent cinquante kilomètres de la frontière somalienne, l'université de Garissa a été attaquée par des islamistes somaliens d'Al-Chebab, faisant au moins cent quarante-huit morts, essentiellement des étudiants.

On est bien loin des dits de l'émir Abd el-Kader qui, en 1858, enseignait à ses disciples les vertus de l'écriture et des sciences, concluant que le sabre n'est que l'instrument de ceux qui ont renoncé à régner par l'esprit[1]. L'émir reprit les armes pour sauver plus de dix mille chrétiens d'Orient à Damas en 1860. Aujourd'hui, une telle figure héroïque dans le monde musulman est impossible. On tue les chrétiens dans l'indifférence : à quand un nouvel Abd el-Kader ?

La peste de l'islamisme ne connaît pas de frontières. À présent, de jeunes Français n'hésitent pas à partir dans des contrées lointaines pour commettre les actes les plus barbares : décapitations, viols, tortures... Ils disent partir faire le djihad, « la guerre sainte ». Par pitié, qu'on arrête d'employer ce mot ! Leur guerre n'a rien de saint. Elle est synonyme de crimes de guerre, voire de crimes contre l'humanité.

« La postérité ne pourra pas comprendre que nous ayons dû retomber dans de pareilles ténèbres

1. Abd el-Kader, *Lettre aux Français* (1858), réédité en 2007, Éditions Phébus.

après avoir connu la lumière[1]. » Des comptes devront être rendus. Je crains que le tribunal de l'histoire ne condamne l'ensemble des gouvernements et des élites pour haute trahison, parce qu'ils n'ont pas pris la mesure du fléau qui s'est abattu sur nous.

Je suis surprise de voir que les seuls véritables résistants à cet obscurantisme sont, comme moi, de culture arabo-musulmane. Du Maghreb berbère à la péninsule Arabique en passant par l'ancien Empire perse, les intellectuels ne comprennent pas l'angélisme des Européens. J'en veux pour preuve le témoignage de l'écrivaine iranienne Azar Nafisi, auteur de *Lire Lolita à Téhéran*[2], exilée aujourd'hui aux États-Unis. Lors de la parution de son livre, elle déclara dans une interview : « Je suis très agacée par les gens en Occident qui – peut-être avec les meilleures intentions du monde ou d'un point de vue progressiste – ne cessent de me dire : "C'est leur culture" [...]. C'est comme si l'on disait que le fait de brûler des sorcières relève de la culture du Massachusetts. [...] Il y a des aspects culturels qui sont vraiment répréhensibles[3]. »

Ayaan Hirsi Ali, ancienne députée néerlandaise, amie du réalisateur néerlandais Theo Van Gogh, assassiné en 2004 à l'âge de quarante-sept ans par un islamiste, s'est réfugiée aux États-Unis parce qu'elle est victime d'une fatwa la condamnant à mort. Ayaan

1. Sébastien Castellion, *De arte dubitandi,* 1562.
2. Azar Nafisi, *Lire Lolita à Téhéran,* Plon, 2004.
3. Dans un article de Michel Walzer publié à New York, repris dans *Courrier international,* 2015.

Hirsi Ali dénonce depuis des années les violences faites aux femmes au nom de l'islam. Elle reproche aux sociétés européennes, héritières pourtant de la philosophie des Lumières, de s'autocensurer de peur d'offenser les musulmans, quitte à ignorer les atteintes aux droits les plus fondamentaux des individus.

En France, cet aveuglement, véritable péché originel, ne date pas d'hier. Déjà, le philosophe Michel Foucault qui s'était rendu en septembre et novembre 1978 en Iran, envoyé par le *Corriere della Sera*, justifia, sans la condamner, la violence de la révolution des mollahs et légitima le régime de Khomeiny. Le mouvement populaire qui conduisit au renversement du Shah d'Iran l'avait enthousiasmé. Venant d'un intellectuel de cette stature, l'angélisme avec lequel il s'emballa pour des mouvements populaires de contestation laisse pantois. Il avait même accompagné l'ayatollah Khomeiny à l'aéroport, en février 1979, lorsque celui-ci avait quitté son doux exil français pour rejoindre l'Iran. Foucault tenait à saluer « le guide spirituel » avant son départ, « le saint homme exilé à Paris » comme il l'appelait. Dans sa fascination, le philosophe ignorait qu'au même moment, des Iraniennes scandaient dans la rue « À bas Khomeiny ! » pour s'opposer à l'obligation qu'elles auraient désormais de porter le voile[1].

Pour lui, la religion n'était pas tant un vêtement idéologique que la façon même de vivre ces soulè-

1. Janet Afary et Kevin B. Anderson, *Foucault and the Iranian Revolution*, Chicago University Press, 2005.

vements : « Je me sens embarrassé pour parler du gouvernement islamique comme "idée" ou même comme "idéal". Mais comme "volonté politique", il m'a impressionné dans son effort pour politiser, en réponse à des problèmes actuels, des structures indissociablement sociales et religieuses ; il m'a aussi impressionné dans sa tentative pour ouvrir dans la politique une dimension spirituelle. [...] J'entends déjà des Français qui rient, mais je sais qu'ils ont tort[1]. »

Heureusement qu'aujourd'hui, en France, des intellectuels comme Boualem Sansal, ce Kabyle des montagnes qui partage sa vie entre les deux rives de la Méditerranée, savent à quoi s'en tenir, ainsi qu'il l'explique dans *Gouverner au nom d'Allah*[2]. Lui n'a jamais été dupe de ce mouvement politique fondé sur la religion et il regrette l'absence de réponses appropriées contre l'islam de la part des pouvoirs occidentaux. Il sait de quoi il parle : la décennie noire, cette guerre civile des années quatre-vingt-dix qui fit vaciller l'Algérie, il l'a vécue. Il a vu le GIA et le FIS à l'œuvre. Le constat qu'il dresse est terrifiant : en dix ans, la guerre a fait là-bas plus de deux cent mille morts et des milliers de disparus.

Comme Michel Foucault dans les années soixante-dix, des universitaires soutiennent que les actions de violence et d'oppression de l'État islamique ont

---

1. Michel Foucault, « À quoi rêvent les Iraniens ? », *Le Nouvel Observateur*, 16-22 octobre 1978.

2. Boualem Sansal, *Gouverner au nom d'Allah. Islamisation et soif de pouvir dans le monde arabe*, Gallimard, 2013.

moins à voir avec la religion qu'avec la pauvreté et le désespoir. La philosophe Judith Butler explique même que le Hamas et le Hezbollah sont des mouvements sociaux progressistes de gauche, faisant partie d'une gauche mondialisée. Quant à Kathleen Cavanaugh, de l'Université d'Irlande, elle explique : « Les actions de violence et d'oppression de l'État islamique n'ont pas grand-chose à voir avec la religion en soi mais reposent plutôt sur des intérêts matériels. »

Le livre de Michel Houellebecq, *Soumission*[1], trouve une résonance particulière aujourd'hui. Le romancier, qui avait dénoncé il y a quelques années les errements des idéaux de Mai 68, met en lumière, à travers une fiction, l'aveuglement, le silence, la passivité et finalement la complicité des médias et des intellectuels de centre-gauche dans l'accession au pouvoir des islamistes. Des crimes sont commis à la veille de l'élection présidentielle : ils sont passés sous silence. Pour ne pas donner prise au racisme, on refuse d'évoquer les méfaits commis par des voyous se revendiquant de l'islam. Condamnée au silence par peur des mots, et avec l'assentiment de nos élites, la République cède et se soumet à la tyrannie religieuse.

Certes, la sémantique est essentielle mais, en France, parler d'islamisme n'est pas chose aisée et peut vous conduire devant les tribunaux. En fait, c'est presque devenu impossible tant la terreur du politiquement correct règne. Certains parlent même d'islamisme modéré comme si la charia pouvait être light, comme

1. Michel Houellebecq, *Soumission*, Flammarion, 2015.

si des châtiments telle la lapidation pouvaient être infligés avec humanité !

Le triomphe du différentialisme au détriment du modèle républicain, inspiré du modèle anglo-saxon, et la culpabilité postcoloniale entretenue savamment par la gauche interdisent de regarder lucidement les ravages causés par ce fondamentalisme. Au-delà de ces deux raisons, les intellectuels continuent d'expliquer et en quelque sorte de légitimer l'islamisme à travers une grille sociale – ces mouvements seraient de la résistance face aux impérialismes, notamment américain – en « désacralisant » les origines du mouvement pour le banaliser.

Dès qu'on aborde le sujet, on se sent dans l'obligation, pour ne pas être taxé d'islamophobie, de prendre de telles précautions oratoires que la pensée se vide de sa substance et qu'il ne reste que des squelettes de propos. Personnellement, je dois dire qu'après ces jours funestes où les balles de kalachnikov n'ont cessé de résonner en moi, les atermoiements pour désigner une plaie, une infection, une épidémie me font vomir.

Malgré tout, j'ai décidé de continuer de me dresser, par conscience, pour dénoncer l'innommable, au risque d'une pluie d'injures, de procès en diffamation, voire d'une fatwa exécutée par des délinquants de droit commun tombés dans une autre spirale de la criminalité : l'islam radical.

Jeannette

Enfant dans les années quatre-vingt, j'ai été très marquée par la montée du racisme. La marche pour l'égalité, plus connue sous le nom de la marche des Beurs, en 1983 et la création de SOS Racisme ont donné un instant l'illusion que le problème était en passe d'être résolu... Hélas, il n'en a rien été.

Si ces années sont bercées par une grande insouciance, une liberté absolue y compris sexuelle, et pour la jeunesse, par l'explosion de genres musicaux très différents – depuis The Cure avec leur maquillage extravagant et leur look gothique à Prince avec ses chemises à jabot et ses porte-jarretelles, jusqu'à la petite culotte de Madonna –, moi, je ne les vis pas avec légèreté mais avec une gravité permanente. Dans notre département comme dans beaucoup d'autres, les ratonnades existent, et le samedi soir, malheur aux rebeux de la cité s'ils débarquent en nombre dans les salles des bals de campagne. Un regard insistant d'un garçon très brun sur une fille un peu trop blonde et c'est la baston assurée, la castagne !

Déols, mon petit village, n'est pas épargné par le phénomène. Déjà, notre arrivée dans la nouvelle maison déclenche des réactions racistes et une pétition : pas d'Arabes ici ! Le comble est atteint quand des skinheads débarquent dans la petite rue, juste en face de la maison familiale où vit paisiblement une famille avec ses trois enfants, Olivier, Fabienne et Benoît. J'avoue, je suis amoureuse de Benoît, nous sommes dans la même classe en CE1 chez Mme Vallet. Je garde précieusement ce secret, jusqu'au jour où ma sœur Salima le lui répète. À cette révélation, ce gamin, du haut de ses sept ans, répond : « Je n'aime pas les cafés-au-lait. » Au moins, j'aurai appris une chose : je ne suis pas noire, pas blanche non plus, mais « café-au-lait ».

Benoît ne semble pas beaucoup aimer les étrangers, mais Olivier, c'est bien pire. Du jour au lendemain, il se métamorphose. Progressivement, sur la peau blanche de ce fils de communistes, des tatouages apparaissent qui ne laissent aucune ambiguïté : des toiles d'araignée, des têtes de mort, des pitbulls, une ou deux croix gammées... Des garçons au look bizarre déboulent chez eux : crânes rasés, bombers noirs, polos Fred Perry, Doc Martens avec des lacets blancs pour se distinguer des Redskins. Comment Olivier a-t-il pu basculer dans cette mouvance ? Je ne peux toujours pas me l'expliquer. Mais ce qui me stupéfie le plus, c'est l'attitude de ses parents : aucune réaction, encéphalogramme plat. Ils ne disent rien !

Cette radicalisation est visible à Châteauroux. Sur la place de la République, des skins traînent, assis sur le rebord de la fontaine, avec des rats dans le cou, des chiens et leurs packs de bière. Avec mes boucles noires et mon teint hâlé, chaque fois que je les croise, je me dis que, c'est bon, je serai la prochaine, j'ai toujours la poisse… Une injure raciste, des ricanements. Je ne me retourne pas, je continue de marcher, je ne dois pas croiser leur regard pour ne pas leur donner une raison de me cogner. Au fil des années, j'ai appris à baisser la tête et à faire le dos rond.

L'intolérance, le rejet de l'autre parce qu'il est différent, le racisme, la violence, tout ça je connais, j'ai grandi avec : d'un côté, l'immigration algérienne qui nous déteste parce que nous sommes des harkis, des traîtres, des collabos, de l'autre, les Français parce que nous sommes arabes, « ces gens venus manger leur pain, piquer leurs emplois… ».

Malgré toute l'hostilité qui nous est témoignée, je n'ai jamais douté de ma légitimité à être une femme française. Le mot « intégration » ne me vient même pas à l'esprit, pas plus qu'à celui de mes parents. La France a été d'une grande ingratitude envers mon père et ma mère, mais peu importe, elle et lui demeurent nos héros, sur un piédestal pour l'éternité. À la maison, nous adorons regarder les photos de mon père quand il était jeune soldat en Algérie. Il semblait heureux avec ses camarades. Les autres auront beau dire, beau faire, rien n'ébranlera notre conviction que nous sommes à notre place en France car nous avons payé le prix fort pour être français, le prix du sang.

Moi qui me fais une joie d'aller à l'école, mon premier jour de classe à Paul-Langevin me laisse un goût amer ! C'est ma rentrée au cours préparatoire de M. Campos. En guise de cadeau de bienvenue, deux frères, deux petits Algériens, se jettent sur moi et me donnent des coups de pied dans les tibias en me traitant de « fille de harki » ! Maman est déjà repartie, personne ne vient à mon aide. Je n'ai que six ans, je ne hurle pas, je pleure silencieusement. Ma sœur Salima voit la scène et se précipite pour me consoler. Elle n'a rien à m'expliquer, j'ai beau être petite, j'ai bien compris ce qu'on reproche à papa : être un harki, un traître. Jamais nous ne serons complètement tranquilles, je le sais, mais pas une seconde, ni dans l'enfance ni à l'âge adulte, je n'en voudrai à mon père d'avoir choisi de servir, d'aimer la France, notre pays.

Il n'existe aucune photographie de moi enfant, sauf une où je tiens d'un côté la main épaisse et large de mon père et, de l'autre, un petit cartable rouge avec un liseré blanc. Je me souviens qu'entre mes livres et mes cahiers, j'avais rangé précieusement un collier de perles cassé. Le cartable d'école est le premier bien important, le plus précieux de l'enfance, l'objet « sérieux » dont vous devez prendre soin, la chose à ne pas perdre dont, petit, on vous rend déjà responsable. Ce cartable, j'y tenais comme à la prunelle de mes yeux.

C'est maman qui nous emmène à l'école. À l'époque, elle sortait plus souvent qu'aujourd'hui. Elle fait également les courses au supermarché. Elle non plus n'est pas épargnée par le climat ambiant délétère. Elle se fait maltraiter par la caissière lorsqu'elle lui demande de remplir son chèque à sa place – maman ne sait ni lire ni écrire. Ou bien, elle subit des réflexions humiliantes quand elle doit reposer deux ou trois produits alimentaires faute d'argent. Le nombre de fois où je me suis aperçue, en vérifiant après coup que le ticket de caisse était bourré d'erreurs, que mes parents ont été trompés, volés, qu'on a profité de leur faiblesse !

Et pourtant, à leurs yeux, ce sont nous les voleurs ! Dès que nous pénétrons dans un magasin de vêtements, les vigiles nous collent au train. Enfants, on a compris très tôt qu'il ne fallait pas arriver à plusieurs dans un magasin car on est immédiatement catalogués lascars, « voleurs », pour les agents de la sécurité. Les petites chroniques du racisme ordinaire, je pourrais en écrire des tomes entiers. L'une d'entre elles me revient à l'esprit.

C'était il y a vingt ans. Il arrivait à mes parents de me rendre visite à Orléans. Dans ces moments-là, j'en profitais pour les gâter, ils ont toujours tant fait pour moi ! Papa devant recevoir la Légion d'honneur à titre militaire dans les jours qui suivaient, je voulais lui offrir de quoi être encore plus beau pour cette cérémonie.

Avec ma petite allocation de recherche pour financer ma thèse de doctorat en droit public et ce que me rapporte mon poste de monitrice à la faculté, je ne roule pas vraiment sur l'or. Chez Kiabi, nous devrions trouver notre bonheur sans nous ruiner. Nous sommes à peine entrés que le vigile, un Noir costaud, nous a repérés. À partir de là, il va guetter le moindre de nos déplacements, de nos gestes. Papa est devant, il regarde les vêtements d'un air distrait, maman me tient le bras car elle ne voit pas bien, elle est fragile, marche doucement. Et l'autre nous suit d'un rayon à l'autre, il ne prend même pas la peine d'être discret. Chaque fois que je me retourne, il est là à nous fixer. C'est insupportable, je n'arrive plus à penser à autre chose qu'à ce type qui nous piste ! Au bout de quelques minutes, je laisse maman à mon père, je marche vers le vigile et j'explose, je lui hurle dessus. Toute la colère des années de vexations et d'humiliations est montée en moi en un quart de seconde. Ça me fait tellement de peine qu'on les traite ainsi… L'homme a bredouillé une phrase incompréhensible et il s'est éloigné. Mais pour nous, les courses étaient terminées. Plus jamais je ne suis retournée dans un Kiabi.

Nous avons pourtant tout fait pour être « transparents », pour qu'on ne nous remarque pas, mais non, ça ne va toujours pas… Souvent, je me demande si mes parents sont encore surveillés lorsqu'ils vont faire leurs courses. J'espère que non, même s'il y a peu, on les regardait encore avec mépris. Cinquante ans qu'ils vivent en France et qu'ils sont toujours les proies de ce racisme à la petite semaine, qu'on ne dénonce même plus tant il s'est banalisé, tant il est quotidien. Pourtant il fait toujours aussi mal. Le cuir ne s'épaissit jamais assez pour demeurer hermétique aux injures racistes.

À ce racisme ambiant, nous n'avons pas la même réponse. Moi, il me stimule dans mes études avec l'idée de quitter au plus vite Châteauroux et ne plus avoir à le subir. À dix-sept ans et demi, mon bac en poche, je me retrouve à Orléans en classe préparatoire HEC. Merci les skinheads ! Ma grande sœur a des difficultés scolaires, elle redouble deux fois avant son entrée au collège. Mes frères, eux, rejettent l'école parce que le système leur répète qu'ils sont différents, pas comme les autres, en gros des étrangers. Ils ne parviennent pas à dépasser cet écueil. J'ignore pourquoi les multiples interventions de maman, qui nous a poussés les uns autant que les autres à faire des études, ont produit des résultats totalement différents sur eux et moi… Mes frangins auraient dû passer au-dessus de tout cela. C'était leur avenir qui était en jeu. Et pourtant, ils n'en firent rien.

La méfiance, la crainte ont imprégné mes cellules et, malgré moi, j'ai gardé des traces indélébiles de ces années où je réalisais que j'allais « morfler » plus que d'autres ! Inconsciemment, j'ai adopté une attitude, un mode de vie qui me fait, aujourd'hui encore, éviter les situations d'exclusion ou qui pourraient comporter une menace voire une confrontation physique, comme lorsque je contournais les groupes de skins. Ainsi, j'évite de me rendre à un guichet de banque où l'on va vérifier vingt-cinq fois ma signature pour être sûr que je n'ai pas volé les papiers d'identité que je présente. Je fuis les grandes surfaces à cause du vigile qui m'aura forcément dans le collimateur. Les groupes, les foules me paniquent. Je suis très casanière et agoraphobe ! « L'enfer, c'est les autres », disait Sartre. Pour une fois, je suis d'accord avec lui.

Pour mes parents, le sacrifice est permanent : ils préfèrent se saigner plutôt que nous manquions de quelque chose. Maman ira même jusqu'à vendre sa chaîne en or pour que ma sœur et moi ayons des vélos ! Eux-mêmes ne s'achètent pratiquement rien : ils récupèrent des vêtements déjà portés, usés, fanés que des gens, à Déols, leur donnent. Nous, à chaque rentrée scolaire, sommes vêtus de neuf et aucune des fournitures scolaires ne manque : cartable, cahiers, crayons, compas, équerre, feuilles de papier Canson…

À Noël, les cadeaux sont rares, hormis ceux du comité d'entreprise de Schlumberger, avec la fameuse boîte colorée de Quality Street, bonbons chocolatés au parfum douteux et les After Eight à la menthe. Avec mes frères et ma sœur, on feuillette les catalogues promotionnels des grandes surfaces en choisissant des jouets que nous n'aurons jamais… On rêve tout haut. Moi, la nouvelle poupée Barbie avec sa décapotable rose et, pour toi, un circuit de voitures télécommandées ?

Et lorsqu'à l'école les instituteurs nous demandent ce que nous avons reçu pour les fêtes, nous inventons des histoires. En revanche, maman nous cuisine un bon repas de réveillon avec dinde aux marrons, salade de riz et thon à la tomate, bûche glacée, un vrai repas de Noël bien français. Et on a droit à des douceurs, sauf que tout ce qu'on peut s'offrir, ce sont des boîtes d'un kilo de crottes de chocolat fourrées praliné achetés au supermarché quand nous sommes chanceux, bourrées de sucre et de colorants lorsque maman se trompe d'emballage. Une horreur ! On suce le chocolat jusqu'à atteindre le cœur blanc qu'on recrache discrètement sans qu'elle s'en rende compte.

Malgré les efforts de mes parents, ce n'est pas tous les jours fête à la maison. Je repense à la période pénible où papa dut s'arrêter de travailler après un grave accident et où ma mère prit tout en charge.

J'avoue que c'est l'une des raisons pour lesquelles ma sensibilité politique s'est orientée à droite. À la mairie communiste de la ville, lorsque maman demande des bons alimentaires, on l'envoie balader. D'ailleurs, on lui asséna une phrase si odieuse que je m en souviens comme si c'était hier : « Vous avez choisi la France, vous n'avez qu'à assumer… »

La mairie lui refuse du travail parce que, lui dit-on, « vous êtes des harkis ! ». Ma mère est pugnace. Elle attend pendant des heures de passer un entretien pour être dame de ménage, même si ce n'est pas à plein temps. Ce dont maman rêve, c'est d'avoir un contrat emploi solidarité (CES), elle n'en demande pas plus. Parfois, je l'accompagne à l'ANPE et devant la manière dont on la traite, j'ai envie de tout casser, de tout brûler. Je conseille à tout ministre du Travail de passer une journée incognito dans une agence de Pôle emploi.

Ne sachant ni lire ni écrire, ne conduisant pas et s'exprimant difficilement en français, ma mère réduit, au fil du temps, ses sorties. Elle perpétue ainsi la tradition arabe qui tient les femmes à la maison. Mon père, lui, retrouve ses copains au café, chez Paulette ou aux Rosiers fleuris, sur la route de Villers. Il se déplace en voiture, ayant appris à conduire à l'armée, et continue de le faire dans sa petite Clio blanche, à quatre-vingt-deux ans !

Digne et sérieux toute la semaine, le week-end il se « lâche ». Papa, c'est Dr. Jekyll et Mr. Hyde. Le samedi matin, il nous emmène à l'école, ensuite il se rend à Chaumière, pour retrouver ses jardins. Les petits lopins se situent tous sur un ancien marais asséché, la terre y est riche et fertile. Sur chaque parcelle, un puits a été creusé dans lequel les hommes cachent leurs bouteilles de vin aux yeux de leurs épouses, des fois qu'elles auraient la mauvaise idée de passer. L'été, le vin est toujours bien frais. Après avoir travaillé et ensemencé la terre, mon père prend une pause bien méritée avec les voisins et ils commencent à boire et à discuter. L'ivresse le gagne sans qu'il s'en aperçoive. Parfois, il laisse passer l'heure de sortie des classes et oublie de venir nous chercher. Ce n'est pas grave, on sait rentrer seuls à la maison. Après tout, il a bien le droit de se détendre un peu après avoir travaillé si dur, toutes ces nuits, dans son usine…

En revanche, on compatit moins lorsqu'il rentre ivre à la maison et qu'il se dispute avec maman. Il a le vin mauvais et pourrait nous frapper pour une peccadille. Nous courons nous cacher, ou bien on sort de la maison et on s'éloigne le plus loin possible. À ce jeu, nous sommes toujours les plus forts ! « Laisse mes gamins tranquilles ! » hurle maman qui est une vraie mère louve : elle protège ses petits. Face à une telle force, papa capitule immédiatement. Il part s'écrouler sur son lit.

À l'heure du goûter, il se réveille et retourne au bistrot. Il ne rentrera pas avant le dîner. Le lendemain matin, du fond de mon lit, j'entends ses vomissements dans les toilettes. Cela ne l'empêche pas de repartir de plus belle au café. À midi, il rapporte souvent des bouteilles de *gazouze*, ces boissons gazeuses très sucrées à l'orange ou au citron, bourrées de colorants et de produits chimiques. Cela enchante notre dimanche. Toute la semaine, nous attendons cet « extra ». Dans ces moments, mon père est accueilli comme le messie : du Fanta bon marché fait notre bonheur d'enfants...

Une fois les vapeurs d'alcool dissipées, il redevient l'homme de devoir qu'il est, aimant et attentionné pour sa femme et ses enfants. Malgré tout, ces excès m'ont marquée et j'ai toujours eu un rejet de l'alcool et de ses consommateurs excessifs. Parfois, maman supporte mal les débordements de mon père et je la comprends. Ces jours-là, elle nous prend tous les quatre sous le bras et on part à Bourges chez ma grand-mère. L'appartement de la rue des Frères-Lumière n'est pas grand et, la nuit, les pièces se transforment en dortoir, mais nous on adore ça, on s'amuse bien. Nous dormons par terre, sur des tapis, enroulés dans des couvertures, façon rouleau de printemps. Faute de lit et de place, mon oncle Brahim va dormir dans la baignoire !

Mon père vient nous chercher dès le lendemain, un peu honteux. Dans de telles circonstances, ma grand-mère ne soutient jamais ma mère et elle nous jette tous dehors ! La place d'une femme est près de son époux, même s'il la bat, dit-elle. En l'occurrence, ce n'est pas le cas. À plusieurs reprises, ma mère s'est réfugiée à Bourges. Elle voulait montrer qu'elle était capable de se rebeller. Elle ne quitta pas mon père pour autant. Mais cette menace, elle l'a toujours fait planer sur lui, même après cinquante ans de vie commune, même au bord de la mort, atteinte par son cancer.

Contrairement aux idées reçues, mes parents ont privilégié l'éducation des filles en donnant à chacune sa chambre et son bureau. Mes frères, eux, partagent la même pièce. Ma chambre, c'est mon espace personnel même si je sais que maman fouille volontiers dans mes affaires dès que j'ai le dos tourné. Il arrive qu'elle trouve mes économies que j'ai mises de côté en faisant des petits boulots et elle les prend sans l'ombre d'une hésitation. Malgré tout, je n'arrive pas à lui en vouloir car je sais que l'argent manque à la maison. La prochaine fois, je les cacherai mieux, voilà tout. J'ai treize ans lorsqu'elle m'offre un très beau lit à deux places, une nouvelle armoire et une petite table de nuit. Rares sont les adolescents qui ont ce luxe, d'autant que je ne reçois jamais personne. « C'est pour que tu sois bien, ma fille... », me dit-elle.

Dans cette pièce, un papier peint sobre, rose pâle avec des petites fleurs, que mes parents m'avaient autorisée à choisir : je passe des heures, seule, à travailler, à écouter la radio, à enregistrer les musiques que j'aime sur des cassettes vierges puisque nous n'avons pas d'argent pour acheter des disques, et de surcroît nous n'avons pas de chaîne hi-fi. Du piratage avant l'heure ! Cette chambre, c'est mon univers, mon antre, le seul endroit où je me sente comme en moi-même. Sans peur ni menace d'aucune sorte.

Chez nous, la religion n'est pas présente, elle est quasi inexistante. Jusqu'au bout, mes parents auront été fidèles à leurs convictions et au dicton bien français : « Aide-toi, le ciel t'aidera. » Il ne faut compter sur personne, seul le travail, l'effort peuvent améliorer l'existence. Papa et maman croient en Dieu même s'ils ne connaissent pas les prières, mais pas de halal ou de ramadan qui tiennent ! L'alcool et le tabac sont proscrits : « Si je te vois en train de fumer, je te brûle les lèvres ! » m'a prévenue maman. (Nadji, mon frère de trente-neuf ans, militaire de profession, qui vit encore chez eux, se cache lorsqu'il allume une cigarette !)

Le poids de la religion n'existe pas mais la tradition est là, immuable, qui fait qu'on respecte ses parents, qu'on ne fume pas devant eux et qu'on n'embrasse pas non plus son amoureux… si tant est qu'on le leur ait présenté. En général, ne viendra à la maison que « l'officiel », celui ou celle qu'on épousera.

Tout ce qui a trait au corps, à la sexualité, est tabou. On n'en parle pas, ou on le cache. Dans la salle de bains, on dissimule soigneusement les accessoires de la féminité, les soutiens-gorge, les collants, les petites culottes. C'est sale, il ne faut pas. Et je ne dois pas mêler mes sous-vêtements au reste de la lessive mais laver mon linge séparément, surtout quand j'ai mes règles... Évidemment les tampons périodiques sont interdits. Toujours cette croyance stupide (et cette peur !) d'une éventuelle perte de la virginité…

Dans les familles arabes, la pudeur entre parents et enfants est extrême. Aujourd'hui encore, lorsque nous regardons la télévision ensemble, assis autour de la table de la salle à manger, nous choisissons soigneusement le programme pour qu'aucune scène n'offense papa : les émissions *Thalassa* ou *Faut pas rêver* sont sans risques, les informations, les documentaires aussi. Jamais de film où un baiser, une scène de nu pourrait surgir. Si, à l'écran, un couple s'enlace, on change de chaîne ! Ou on quitte brusquement la pièce, comme si quelque chose nous appelait ailleurs comme si de rien n'était. Et pas de démonstrations physiques entre adultes, cela ne se fait pas. Je repense avec étonnement aux photos de la première rencontre de mes parents au jardin public de Bourges, et à la manière que mon père avait eue de tenir maman par la main et par l'épaule. Jamais je n'ai vu mes parents ne serait-ce que se frôler tendrement la main.

Les sorties sont interdites pour les filles – mes frères, eux, font ce qu'ils veulent – mais à la maison on jouit d'une grande liberté – on peut lire, écouter de la musique, regarder la télévision, s'exprimer autant qu'on le désire. Et participer aux tâches ménagères, ce qui, pour ma mère, n'est pas une option ! Dans mon quartier, je n'ai pas de copain ou de copine proche et je ne suis guère invitée aux anniversaires ou aux soirées du samedi. Je passe ainsi mon adolescence sans amie complice, sans confidente, plutôt seule… La solitude est devenue une compagne fidèle. Elle le demeure.

En même temps, comment inviter qui que ce soit chez nous, dans cette maison peu confortable, avec des parents qui crient en permanence ! Et je ne parle pas de la honte que papa peut me « mettre » lorsqu'il vient me chercher au lycée, si par malheur je me trouve à proximité d'un garçon ! La scène qu'il me fait, un jour, parce que Pierre Grenon, un ami de lycée, m'a raccompagnée à la maison, je m'en souviens encore… Je l'aime beaucoup, ce garçon aux cheveux roux et bouclés, qui a notamment pour défaut majeur, aux yeux de mon père, d'être le fils d'un instituteur communiste. Mon penchant pour les hommes communistes est donc plus ancien que je ne le pensais !

À deux ou trois reprises, je m'échappe pour aller danser grâce à la complicité de ma mère, mais je n'aime pas avoir à mentir à papa. Le plus souvent, nous restons donc à la maison, entre nous. Mes sorties, c'est avec maman que je les fais, ensemble pour de longues marches dans la campagne berrichonne, au milieu des vergers et des champs du bocage.

En fait, nous sommes seuls et à part. À part, parce que arabes, harkis, pauvres, non pratiquants, parce qu'on ne fait pas le ramadan et que papa boit de la bière ! Exclus de toutes les communautés, ce qui en soi n'est pas plus mal : j'ai toujours pensé que le groupe aliénait l'individu, qu'il empêchait son épanouissement... L'avantage, évidemment, c'est que pendant que mes copines sortent et s'amusent, moi j'étudie. Le quotidien à la maison est souvent pesant, parfois même asphyxiant. En un sens, l'école me permet d'y échapper… J'investis tout dans l'instruction.

Je l'ai dit, les imprécations de maman pour que nous poursuivions nos études le plus loin possible n'ont pas été entendues de la même façon par chacun de nous quatre. Salima, de deux ans mon aînée, redouble à deux reprises au cours de ses études primaires. Du coup, je la rattrape et on se retrouve dans la même classe de CM2 chez M. Becavin ! C'est étrange, Salima fait comme si on ne se connaissait pas alors que tout le monde sait que nous sommes sœurs ! Elle est un peu gênée.

À la fin de l'année, notre instituteur convoque ma mère pour l'informer que je passe au collège, mais que ma sœur sera orientée en section spécialisée (SES). Les termes sont flous, mais maman a tout de suite compris : c'est une voie de garage. Dès le lendemain, elle va tout faire pour inscrire Salima dans une école catholique puis un cours privé, non conventionné, chez Mme Lamy, afin qu'elle en ressorte au moins avec un BEP de comptabilité ou de secrétariat. Évidemment, impossible d'avoir une bourse, faute de reconnaissance par l'Éducation nationale du petit établissement tenu par cette dame. Peu importe, pourvu que Salima puisse poursuivre ses études, qu'elle ait un minimum de connaissances générales et un diplôme. Les sacrifices vont être très durs pour maman, elle va devoir économiser sou après sou, et ma sœur ne lui témoignera aucune gratitude particulière. Je crois qu'elle ne se rend pas compte. De la même façon, mes frères rechignent à étudier. Nadji passe son bac à deux reprises, sans succès, ce qui rend ma mère complètement folle ! Et, quinze jours avant l'épreuve, Jérôme s'engage dans l'armée, sans même prévenir nos parents !

Des quatre, je suis la seule qui fera de longues études, celle que mes parents considéreront comme la plus sérieuse et à qui ils confieront la responsabilité de prendre soin de la famille. J'avais une volonté hors norme de m'instruire et ils m'ont accompagnée. Lorsque je demandais un livre, ils me l'achetaient sans hésiter. Mon tout premier livre, je m'en souviens, je l'ai toujours, c'était les *Fables de La Fontaine* illustrées, au prix de 27 francs ! Même mes cadeaux d'anniversaire avaient un lien avec l'étude, que ce soit des livres, du matériel pour l'école, un vêtement pour la rentrée scolaire à venir... À l'époque, j'avoue que ça m'ennuyait un peu, je rêvais d'un « vrai » cadeau ! Aujourd'hui, je leur en suis infiniment reconnaissante.

En cela, je suis le pur produit de mes parents, tout en ayant échappé à mes créateurs. Je me sens comme le Golem, la créature de la légende hébraïque : ils ont fait une statue de terre, ils ont inscrit le mot Dieu dans ma bouche et je me suis dérobée à eux. Ils me voulaient indépendante, émancipée, et j'ai dépassé leurs espérances. Peut-être un peu trop selon ma mère.

Dans son encouragement pour que nous étudiions, papa est exemplaire. Pour lui, la réussite scolaire est même plus importante pour les filles que pour les garçons. « Eux pourront travailler à l'usine ou garder des chèvres... », dit-il. En revanche, il est tétanisé à l'idée qu'un jour, ma sœur et moi soyons sans emploi, qui plus est sous la domination d'un époux malveillant. Comment, lorsqu'on a grandi dans une culture où les filles sont maudites, peut-on éduquer les siennes avec une telle équité par rapport aux garçons ? Je n'ai pas de réponse à cette question, mais mes parents s'y sont employés avec constance et n'y ont jamais dérogé.

Chaque soir à 20 heures, je vois mon père partir à sa fonderie, sa besace à l'épaule. Il revient le lendemain matin à l'aube et va se coucher sans faire de bruit. Il dort deux heures et pour être sûr que je sois à l'heure à l'école, il se lève et m'emmène dans sa Simca bleue. Combien de pères ont fait cela ? Je revois ses yeux cernés, la fatigue de son visage revenant ensuite à la maison pour se reposer, une heure ou deux, pas plus, il dort très peu, tandis que maman commence sa journée dans la maison, en préparant le déjeuner.

Les conversations avec mon père sont rares, il est du genre « taiseux » et je n'ose pas lui demander quelles sont ces traces sur ses mains, ces cicatrices qui ressemblent à des brûlures de cigarette. Des souvenirs de la guerre d'Algérie ? D'une certaine façon, oui... Son père et son frère ont été assassinés par les rebelles algériens dans des conditions atroces. Sans parler de sa femme et de son fils qu'on lui a arrachés... Cette période a été si dure, me raconte-t-il un jour, qu'il lui arrivait de se brûler et de se mutiler pour ressentir une douleur plus fulgurante que la souffrance psychologique. « La nuit, les images de mon père égorgé, de mon frère en sang, tout remontait, je les voyais, c'était épouvantable, j'imaginais leurs cris, je ne dormais plus... je souffrais, je souffrais... »

Bouleversée, je ne dis rien. Mais je l'admire encore plus d'avoir traversé ces épreuves et de continuer à se tenir droit, sans rancune, sans colère.

Contrairement à mon père, ma mère est très bavarde. Elle s'adresse à moi comme si j'étais une adulte et me raconte souvent son enfer d'être née fille, au mauvais endroit, au mauvais moment. Aujourd'hui, je comprends pourquoi elle me parlait ainsi. Elle n'a que nous à qui se confier, tenter de mettre des mots sur les maux pour guérir de ce passé. Les parents actuels sont très vigilants quand ils parlent à leur progéniture, ils craignent toujours de la heurter et gare au traumatisme ! Mes parents n'avaient pas cette retenue, comme s'ils voulaient me prévenir de ce qui pouvait me tomber dessus si je ne m'instruisais pas et ne m'élevais pas au-dessus de ma condition.

Ainsi, maman partage souvent avec moi son chagrin de ne pas avoir fait les études qui lui auraient permis de devenir infirmière militaire. Ce rêve est né pendant la guerre d'Algérie, lorsqu'elle a été confrontée aux corps torturés, mutilés, aux cadavres… Elle aurait voulu soigner, soulager, accompagner et s'était bien juré de le faire plus tard. Un plus tard qui s'est dilué dans son mariage et la famille. Mais elle n'a jamais oublié et elle en pleure encore aujourd'hui !

N'ayant pu réaliser son rêve, ma mère s'est recentrée sur ses enfants. Je conserve le souvenir d'une mère hurlante, une louve protectrice, impatiente, dure, tendre, insupportable, cassante, réconfortante, souvent malade parce que diabétique. Et suicidaire, comment pouvait-il en être autrement ? Combien de fois l'ai-je vue courir s'enfermer dans le garage en menaçant de se tuer en avalant de la mort-aux-rats ! Elle fait des crises d'hystérie, ne supporte plus cette vie, veut que ça s'arrête tout de suite… Avec mes frères et sœur, nous frappons à la porte en la suppliant d'ouvrir. Nous avons si peur de la perdre ! Nous n'avons qu'elle. Lorsqu'elle consent enfin à le faire, nous nous jetons sur elle en pleurant, pour la serrer dans nos bras. Il n'y aura jamais de drame, mais je ne suis pas sûre que, tous les quatre, en soyons sortis indemnes…

Violente et tendre, elle est tout cela à la fois, tel un pudding algérien. Elle pourrait se battre et tuer si l'on touchait à un seul de nos cheveux. Un jour, alors que nous jouons sur le chemin de terre qui longe la maison, mon voisin Ludovic me dit que je suis un « raton ». Je dois avoir sept ou huit ans et j'ignore ce que cela signifie. « Demande à ta mère, elle, elle saura ! » me dit-il, et il se sauve. Avec la plus grande innocence, j'ai demandé à maman : « C'est quoi, un raton ? » Je ne m'attendais pas à une telle réaction : elle voulait aller le tuer !

Enfants, nous vivons collés à elle, elle supporte mal de ne pas nous avoir sous les yeux. Elle nous a tant désirés ! Souvent, elle dit qu'elle n'a que nous, qu'elle pourrait mourir pour nous. Et, certains soirs, lorsque papa part travailler, elle aime réunir ses « petits » autour d'elle, dans son lit. Elle nous embrasse de façon charnelle, animale. Mais à 5 h 30 du matin, il faut vite se sauver avant que papa ne rentre et nous trouve dans son lit !

Je ressens encore la chaleur et la douceur qui régnaient à la maison ces soirs-là. C'est maman qui m'a transmis cette passion d'aimer jusqu'au sacrifice suprême. Je n'ai jamais su aimer autrement. Je donnerais ma vie sans hésiter pour ceux que j'aime.

Chaque mois, faute d'argent, maman s'improvise « coiffeur » et je passe « à la casserole » ! Je l'ai dit, en Algérie et dans tous les pays arabes, le must en matière de beauté est d'avoir les cheveux lisses. Ce qui n'est pas mon cas et maman déteste mes cheveux noirs bouclés. Du coup, elle me les coupe court comme un petit garçon pour ne plus voir ces frisures qui la désespèrent. Pensant réparer une injustice capillaire, elle m'enlaidit encore plus ! Toute mon enfance, mes cheveux ont été martyrisés, jusqu'au jour où, adolescente, j'ai dit non. Fini ! Mes cheveux, je les veux longs.

Suivant la coutume arabe, elle m'oblige à me les tartiner avec un mélange d'huile d'olive et d'œuf avant le shampoing, ou bien elle recouvre ma tête de henné, en espérant que le produit raidira ou éclaircira mes cheveux de jais. Je déteste ce henné qui me laisse chaque fois une marque orange à la racine des cheveux, et qui fait de moi la risée de la classe lorsque les élèves s'en aperçoivent !

On apprend souvent les gestes de beauté de sa mère et même parfois on les lui vole... Je la regarde s'épiler les sourcils, se teindre les cheveux, se parer des quelques bijoux traditionnels arabes en or qu'elle a pu s'acheter. Elle n'a que peu de produits de beauté, les crèmes Yves Rocher ou cette crème rose, Oil of Olaz, très en vogue à l'époque, et qu'elle s'offre quand elle a un peu plus d'argent. J'en hume le parfum avec délice. De vêtements, elle n'en possède guère. N'allant jamais faire les boutiques, elle a découvert, après notre départ, le plaisir de l'achat par correspondance grâce à des catalogues comme La Redoute ou Daxon, ou pire, le télé-achat sur M6. J'ai passé beaucoup de temps à la maison mais, étrangement, je n'ai appris ni à coudre, ni à tricoter, ni même à cuisiner. Ma mère n'avait pas le souci de la transmission, en tout cas, pas de ces choses-là. « Moi, j'ai appris toute seule. Fais de même », disait-elle. Un point, c'est tout.

L'arrivée des vacances nous laisse indifférents. Il n'y a pas de branle-bas à la maison, pour une raison simple : nous ne partons jamais. Les voisins vont camper en Bretagne avec leurs grands-parents. Envieux, nous les regardons s'activer autour de leur belle caravane. Les centres aérés, les colonies de vacances, ce n'est pas pour nous. « J'ai fait des enfants pour m'en occuper », répète maman. Elle doit avoir honte de nous dire qu'il n'y a pas d'argent pour ce genre de loisirs… Alors, nous faisons comme tous les enfants qui restent dans leur quartier, leur cité, nous nous amusons entre voisins qui ne partent pas. Notre jeu favori est de nous cacher dans le fossé au bord de la départementale et de bondir comme des diables de leur boîte dès que nous apercevons une voiture immatriculée 75 : « Parisiens, têtes de chien, parigots, têtes de veau ! » C'est idiot mais ça nous fait bien rire. On joue dans les bottes de paille du champ d'à côté, et on fait des cabanes. Le soir, on rentre à la maison des griffures plein les jambes. Dormir dans la paille, c'est vraiment un truc de film, dans la réalité ce n'est pas doux du tout !

Exceptionnellement, il arrive que je quitte la maison pour aller passer quelques jours chez mes grands-parents maternels à la ZUP de Bourges. Pour maman, c'est comme si je partais en stop pour la Papouasie-Nouvelle-Guinée ! Elle pleure, elle pleure, elle ne supporte pas du tout que je m'éloigne d'elle.

Moi, je suis plutôt contente de changer d'air. J'adore la Chancellerie, cette cité cosmopolite où vivent des immigrés venus d'Algérie, du Maroc, de Tunisie, de Turquie, d'Espagne, du Portugal… À l'époque, habiter la cité est un véritable bonheur, c'est vivant, joyeux. Que ce soit aux « rapats », la barre d'immeubles voisine, ou le Gibjoncs, l'autre cité où vit ma tante Rekkia, les familles ne veulent pas quitter leur appartement pour accéder à la propriété. L'été, les mamans descendent au pied des immeubles pour discuter, boire le thé à la menthe, manger des *makrouts*. Les jeunes se rendent ensemble au cinéma de plein air. On s'invite aux mariages qui sont organisés dans les salles des fêtes prêtées par la ville, on danse sur de la musique traditionnelle arabe. C'est à la « Chancelle » que j'ai appris la danse du ventre ! Les familles des mariés offrent du couscous et des pâtisseries aux voisins pour célébrer les futurs époux. Tout, ici, est extrêmement convivial.

Ici, ma différence est un atout et non un handicap. Je peux sortir jusqu'à minuit, fréquenter des jeunes de mon âge, sans avoir mon père sur le dos, quel bonheur ! Je me revois en robe légère, jambes nues au milieu des garçons et rentrant parfois bien après minuit sans que cela pose de problème. De nos jours, oserais-je traverser une cité vêtue ainsi ? Sûrement pas. Aujourd'hui, si je porte une jupe courte, je suis une pute. Si je n'ai pas le voile, je suis une pute. Si je sors avec un non-musulman, je suis une pute. Et comme je refuse de faire des compromis en modifiant ma tenue vestimentaire, ou qu'on choisisse mon mec, je suis une pute. Définitivement. Du coup, je ne peux plus retourner dans ce quartier que j'ai tant aimé. Tant pis. Tout plutôt que de renoncer à mes principes.

À quatorze ans, je suis déjà femme : j'ai des formes généreuses et sensiblement le même corps qu'aujourd'hui. À la Chancellerie, où je passe une partie de l'été, des hommes plus âgés m'ont repérée. Ils commencent à me tourner autour et j'entends parler de « demande en mariage ». Pour eux, pas de doute : je suis bonne à marier et à procréer. Mon grand-père m'aurait volontiers mariée pour avoir quelques dizaines de milliers de francs, mais j'ai la chance d'avoir un père affublé d'un très mauvais caractère dont j'ai hérité et que les autres craignent. « C'est la fille du père Bougrab ! Tu es fou. Fais attention, il va sortir le fusil ! » Alors, on me laisse tranquille, mais je ne suis pas sûre que s'il n'avait pas été là, maman aurait tenu tête à son propre père, et que je n'aurais pas été mariée plus jeune... Et moi, aurais-je eu, à ce moment-là, la force de résister à la pression familiale ? Oui, sans nul doute. Et j'aurais fui le plus loin possible.

À la « Chancelle », je découvre aussi le poids du patriarcat. Il arrive même que mon grand-père frappe ma grand-mère sous mes yeux. J'ai dix-sept ans lorsqu'il veut la répudier, parce qu'à la mosquée on lui dit qu'elle n'est pas assez pieuse. Alors qu'elle fait ses cinq prières quotidiennes et qu'elle est allée deux fois à La Mecque ! Visiblement, cela ne suffit pas. Mes oncles et tantes s'opposent farouchement à cette décision et mon grand-père renonce à son cruel projet. Mais ma grand-mère en est tellement blessée qu'elle en meurt de chagrin six mois plus tard. Après trois petits mois de deuil, mon grand-père fait venir une femme du bled et il l'épouse. Mal lui en a pris, car la belle lui a volé tout son argent et il est mort sans un sou.

J'avoue que je ne l'ai pas plaint ; après tout, ce n'était que justice. D'ailleurs, à partir du moment où ma grand-mère est morte, j'ai cessé de le voir. Je ne lui pardonnais pas d'avoir voulu la répudier après tant d'années passées à le servir. Pauvre grand-mère ! On peut dire qu'il ne l'a pas épargnée. Combien de types à la cité se débarrassent – c'est le mot – de leur vieille épouse pour aller en chercher une plus jeune au bled ? Les postulantes ne manquent pas : les conditions de vie en Algérie sont tellement dures qu'elles sont prêtes à tout pour obtenir un visa, quitte à épouser un homme trois fois plus vieux qu'elles. Pauvres filles... Elles ne s'imaginent pas le calvaire qui les attend de l'autre côté de la Méditerranée, et peut-être pire encore.

Je l'ai dit, avant même d'être mère, maman a décidé de rompre ce cycle infernal de la violence entre mère et fille qu'elle a subi. Même si elle n'est pas à un paradoxe près... Parfois, sa culture originelle la rattrape et elle a la main leste ! Ma mère a une grande colère en elle et dans ces moments, je suis sa victime préférée car la plus rebelle. Mes frères et ma sœur en souffrent moins parce qu'ils sont plus souples que moi. Ils ne s'opposent pas à elle, ils acquiescent. Pas moi. J'argumente, je contredis, je tiens tête, surtout lorsque le traitement est trop injuste. Erreur de ma part : cela ne fait qu'aggraver la situation.

Pour une broutille, un objet perdu, la vaisselle laissée dans l'évier, une chambre en désordre, le ménage que je n'ai pas fait dans la maison (c'est mon point faible, je l'avoue, et je le déteste et encore plus faire la cuisine), les coups pleuvent sur moi avec tout ce qui peut lui passer entre les mains : fourchette, clé, pierres, bâton... En quelques secondes, je deviens sa cible, son point de mire. Il m'est même arrivé de saigner après avoir un reçu un projectile. Lorsque ça devient trop violent, je cours m'enfermer dans ma chambre, le temps que l'orage passe. Et il passe toujours. Ma mère oublie vite, moi moins.

Alors, je reste le plus longtemps possible dans ma chambre pour échapper aux coups et aux hurlements, mais surtout pour étudier, lire, et je redouble d'efforts. L'école sera mon unique passeport pour quitter la maison au plus vite et vivre en femme libre, je le sais. Pour autant, je n'abandonne pas mes parents, c'est d'ailleurs un paradoxe d'être la plus rebelle des enfants et celle qu'ils appellent quand l'heure est grave. C'est ainsi. Même si ces scènes de violence me sont insupportables, il ne me viendrait pas à l'esprit de dire du mal de ma mère et lorsque j'entends mes amis de lycée, puis de faculté, se plaindre de leurs parents ou ne plus les voir, je le supporte assez mal.

La violence était parfois trop présente dans notre famille. Mes frères, par exemple, j'avais l'impression que cette tyrannie était inscrite dans notre culture contre laquelle il était difficile de lutter : le machisme, la misogynie, cette pulsion de l'homme de dominer la femme. Si mon père n'a jamais levé la main sur ma mère ou sur ses filles, mes frères ont tenté de nous frapper, ma sœur et moi. Et même lorsque nous étions jeunes adultes ! Mon père ne peut pas accepter cela. « Sous mon toit, on ne bat pas les femmes », leur dit-il un jour. Premier, deuxième avertissement, au troisième, il les met à la porte. Terrible décision. Mon père en pleure mais ne revient pas dessus. J'imagine ce qu'il a dû ressentir… Avoir à choisir entre ses principes et ses fils, ce n'était pas facile. Pourtant, il a tranché. Égal à lui-même, entier.

Au bout de deux ans, ma mère a réussi à annuler la sanction et mes frères sont revenus. Mais la leçon a porté ses fruits. Papa est un seigneur ! Grâce à sa fermeté, ses deux fils sont devenus des hommes respectables et respectés.

J'ai un caractère intransigeant qui me distingue souvent des autres et ne laisse jamais indifférent : de l'amour à la haine, il n'y a qu'un pas. Il m'a donné en tout cas la ressource nécessaire pour surmonter les prédéterminismes sociaux et valoriser l'histoire tragique reçue en héritage de ma famille en quelque chose de positif, une force de résilience personnelle. Cette ressource m'a néanmoins condamnée à la solitude. Et à une gravité permanente. Je n'imagine pas ma vie sans combattre pour une cause, en particulier celle des filles, des femmes, et si je peux empêcher, ne serait-ce qu'une personne, de vivre ce que ma mère a vécu, j'aurai donné du sens à ma vie de républicaine.

L'envie de revanche, c'est moi qui l'ai eue, envie de m'armer pour être libre, ne pas dépendre du bon vouloir ou de l'humeur de l'autre et surtout d'un homme. Ce que mes parents ont trop souvent subi. Et aussi, pour réparer l'injustice qui leur a été faite avec l'idée, chevillée au corps, d'arriver là où on ne les a pas autorisés à aller. Cette quête, je l'ai eue très jeune, et le cheminement, je le connaissais par cœur : travail, rigueur, persévérance, opiniâtreté.

Chez nous, les valeurs suprêmes étaient l'amour et la famille. À côté de cela, maman me répétait jusqu'à plus soif que la liberté pour une femme consistait à ne jamais dépendre d'un homme, surtout financièrement. Mes frères, ma sœur et moi, nous avons tous été prémunis contre le mariage !

Et pas non plus question pour nous, les filles, d'épouser un Maghrébin ! Les histoires de couples mixtes séparés dont les enfants étaient kidnappés par le père algérien, marocain ou tunisien l'avaient beaucoup marquée. L'idéal, pour elle, aurait été de choisir elle-même nos compagnons et compagnes, à l'ancienne, repérés dans les mariages où elle était invitée. On ne lui en a pas donné l'occasion : pour finir, aucun de ma fratrie ne s'est marié ! À trop nous mettre en garde, elle nous a vaccinés, avec double piqûre de rappel !

Souvent, elle raconte l'histoire de son frère Tami, pour qui mes grands-parents ont fait venir « une fille du bled » en vue d'un mariage. La cérémonie rituelle a bien eu lieu, la relation consommée… puis Tami a disparu du jour au lendemain. Je me souviens encore comme cette histoire m'avait choquée :

« Mais pourquoi Tami a-t-il fait ça ? demandai-je à ma mère.

– Il pensait pouvoir l'aimer, il a vu qu'il s'était trompé…

– Et cette jeune fille, qu'est-elle devenue ?

– Après l'avoir attendu quelque temps, elle est repartie en Algérie, déshonorée. Elle n'avait plus que ses yeux pour pleurer. »

J'imagine facilement le retour au pays de la pauvre abandonnée, la perte de sa virginité, le déshonneur. Et l'honneur bafoué, dans les pays arabes, peut signifier la mort. À tel point qu'en Tunisie, par exemple, la reconstruction de l'hymen fait partie des opérations chirurgicales les plus demandées. Tout est bon pour faire croire à la virginité de la jeune épousée. Parfois, on s'arrange avec les moyens du bord. Quand mon cousin Kamel s'est marié, il a dû en apporter la preuve au petit matin en exhibant un linge blanc taché de sang.

Quoi qu'il en soit, très peu pour moi. Ces cérémonies traditionnelles où les hommes sont les premiers servis par des femmes me sont insupportables... Dans ma lointaine famille, certains ne comprennent pas qu'à vingt-cinq ans je ne sois toujours pas « mariée » et, pour me convaincre, Rhali, mon grand-oncle, me parle de sa fille de vingt ans déjà mariée et mère de deux enfants. Je souris poliment et hoche la tête, mais, en mon for intérieur, j'en frémis d'horreur ! J'explique que je me prépare à soutenir ma thèse de doctorat, que j'y passe mes jours et une partie de mes nuits. En vain, on ne m'entend pas. Rhali va jusqu'à me dire : « À quoi ça sert ? » Eh bien, à être indépendante, éduquée, libre, émancipée...

Il continue pourtant à me louer les vertus du mariage avant tant d'insistance que, certains jours, je suis convaincue d'être le vilain petit canard. Une femme monstrueuse, anormale parce que j'étudie à la faculté et que je rêve d'une autre existence qui ne passe pas nécessairement par le mariage et la maternité...

Mon bac S aurait dû me conduire vers des études de sciences physiques ou de mathématiques, mais je choisis de bifurquer vers le droit. Est-ce qu'inconsciemment je pense aux combats à mener ? Sans hésitation, oui... Le mot « droit » résonne-t-il pour moi avec le mot « justice » ? Très certainement. On le sait, les études de droit sont longues et parfois rébarbatives, pourtant je m'y plonge avec délices et m'en fais une carapace, le bouclier de mes futures batailles.

Il aura fallu que je m'éloigne de mon cerbère de père et que j'aille étudier à Orléans ! À Déols, je ne sortais pas beaucoup mais je connaissais déjà Frédéric, nous avions usé nos fonds de culotte ensemble sur les bancs du lycée Jean-Giraudoux et en classe préparatoire. Frédéric est mon amour d'adolescence. Le premier homme qui parvient à faire tomber la méfiance inscrite dans mon ADN. Ce n'est pas rien. Au fil des jours, il m'a apprivoisée. Les autres filles du lycée ne le regardent pas, elles préfèrent les sports-études. Pas moi. Son intelligence me fascine. À la fois génie des mathématiques et de l'informatique, il est aussi mélomane et musicien. Il peut s'asseoir au piano et tout jouer ! Et moi, je l'écoute, émerveillée, conquise.

Alors que mon père s'est évertué à m'éloigner du sexe masculin, je me retrouve à vivre avec deux hommes, Frédéric et Arnaud... en colocation, en tout bien tout honneur ! Pour trois étudiants modestes comme nous, c'est le seul moyen de se loger. Arnaud étant lui aussi une grosse tête en mathématiques et en informatique, il faut le voir avec Frédéric ! On dirait les héros de *Big Bang Theory*, ces têtes d'ampoule qui adorent les jeux de rôles, *Donjons et Dragons*, fans de *La Guerre des étoiles* et de *Star Strek*. Cette parenthèse amicale d'un an me fera énormément de bien. Les garçons sont avec moi d'une grande gentillesse, je me sens respectée, aimée, choyée comme une princesse. C'est nouveau pour moi.

La première année, il ne se passe rien avec Frédéric. On apprend à se connaître tout en cohabitant. Finalement, le système a du bon, on se côtoie au quotidien, et même si on ignore encore que nous vivrons en couple, on a déjà une idée de ce que cela pourrait donner... Un jour, pendant les vacances d'été, Frédéric m'envoie chez mes parents une lettre de huit pages où il me déclare sa flamme. C'est une lettre mûrement réfléchie, pas dictée sous le coup d'une impulsion. Je me souviens très bien de ma surprise car j'étais convaincue qu'on ne pouvait pas m'aimer : « Moi, une Arabe ! Une fille de harkis ! » Voilà ce que je me dis. J'ai beau faire, je suis toujours dans cet état d'esprit, je n'arrive pas à me convaincre qu'on puisse m'aimer.

En relisant cette lettre récemment, j'ai été émue et amusée à la fois de la manière dont il m'expliquait comment il était tombé amoureux de moi. En matheux qu'il est, il établit une théorie, une démonstration imparable de notre avenir commun. Je souris car j'avais oublié qu'on pouvait aimer ma « forte » personnalité, mes rires : « Tu mets de la vie, de la couleur… », écrit-il. Aucun homme avant lui ne m'avait jamais dit ces mots-là.

Ce jour-là, j'ai su que c'était lui que je présenterais à mes parents.

J'allais amener un garçon à la maison, certes, mais en respectant la tradition ! J'en parlai d'abord à maman pour qu'à son tour elle convainque papa de le voir. Et qu'elle l'informe de mon désir de vivre avec ce jeune et charmant Berrichon.

Finalement, j'ai eu tort de m'inquiéter : mes parents l'ont tout de suite adopté ! C'est avec leur bénédiction que nous nous installons dans un petit appartement d'Orléans, rue Coquille, cela ne s'invente pas, celle d'où je suis sortie pour en pénétrer une autre. Je n'ai que dix-neuf ans mais je me sens prête à vieillir à ses côtés. D'avance, je sais qu'une vie studieuse nous attend.

Cette vie de couple dont j'aurais pu craindre les contraintes, je m'y sens bien, comme apaisée. Frédéric est attentionné, il prend soin de moi qui me suis toujours occupée de ma propre famille. Toute ma jeunesse, j'ai rempli des papiers administratifs pour mes parents, et Dieu sait qu'il y en a eu, entre la gestion de la maison, les factures, les feuilles de sécurité sociale, les assurances et, surtout, la paperasserie relative à la scolarité de mes petits frères, sans parler des réunions, des conseils de classe... J'ai l'impression de ne pas avoir arrêté ! Avec Frédéric, j'ai trouvé une épaule qui me permet de souffler, de m'occuper un peu de moi.

Et, surtout, de ne pas me détourner de mes études. Je m'inscris en DEA à la Sorbonne et fais tout pour décrocher une allocation de recherche afin de financer mon doctorat, en espérant devenir un jour professeur de droit. Pour ma thèse, j'ai choisi la IVe République qui fut si décriée, si mal aimée. Un travail qui me convient parfaitement : j'ai toujours aimé les laissés-pour-compte ! Vivant toujours près d'Orléans, je découvre les délices, non, l'enfer du train et du métro, presque quatre heures de transport quotidien. Mais je tiens bon, déterminée comme jamais à atteindre mon objectif : devenir une brillante universitaire. Une fois ma thèse soutenue, et recrutée définitivement comme maître de conférences à Paris-I, je pourrai enfin vivre à Paris, dans un appartement minuscule, certes, mais à deux pas de mon travail ! Le paradis ! J'irais à pied donner mes cours à l'université. Le bonheur !

Maman est douce et courtoise avec Frédéric, je ne la reconnais pas. Un jour, elle lui achète même des pantoufles pour qu'il se sente bien à la maison. Même papa fait des efforts pour lui être agréable. De mon côté, je rencontre sa famille et approche une société que je ne connaissais pas : la bourgeoisie de province. Je découvre les déjeuners dominicaux, le rôti de bœuf-haricots verts, le fromage et dessert, café et chocolat. Et le léger ennui des dimanches après-midi. Parfois, lors de ces repas, il arrive que des conversations dérapent et que des propos racistes soient tenus. Moi, je ne dis rien, trop jeune, trop faible, trop polie pour manifester ma désapprobation, ma consternation devant cette bêtise. Je les laisse cracher leur venin, sidérée que Frédéric ne réagisse pas, ce qu'il ne fera jamais. Il reste impassible devant l'insulte sans voir combien elle me blesse. Un jour, je quitte la table et vais pleurer dans les toilettes. J'aurais dû me lever dès la première fois et partir en claquant la porte. Définitivement. Je ne l'ai pas fait pour ne pas déplaire à l'homme que j'aimais. Mais je me suis bien juré que plus jamais cela ne se reproduirait.

Après avoir vécu de manière fusionnelle, notre relation se distend, nous nous éloignons l'un de l'autre sans y prendre garde. Lui est passionné par ses travaux de recherche, il participe à des colloques, des séminaires, des workshops... Il aimerait même partir au Japon pour travailler dans un laboratoire. Moi, je termine ma thèse et suis exténuée. Durant des années, j'ai travaillé dur pour payer mes études (ce qui n'est pas son cas) et je n'en peux plus. J'ai l'impression que nos chemins bifurquent, que nous n'avons plus les mêmes urgences. Parfois, il m'arrive de penser que je suis un poids pour lui, que je le freine, même. Pourtant, pour être près de lui, j'ai adhéré à ses goûts, ses passions, comme les films de science-fiction et d'horreur que j'exècre, comme *Saw*. Je lis le magazine *Mad Movies*. Je regarde toutes les saisons de *Buffy contre les vampires* près de lui, sans jamais comprendre ce qu'il trouve à cette série pour adolescents en mal de frissons sanguinolents ! Cet univers n'est pas le mien ; pourtant, pendant treize ans, j'ai suivi Frédéric partout.

Jusqu'au jour où je ressens de la solitude à ses côtés. Même quand nous sommes ensemble dans la même pièce, je me sens seule. Et l'idée de quitter Frédéric commence à faire son chemin. Oh, il n'y a pas de véritable conflit entre nous et nous gardons l'un pour l'autre une grande estime, mais je ne veux pas demeurer avec lui sans passion ; nous sommes devenus des « cousin-cousine ».

Moi, je suis une éternelle romantique, j'idéalise l'amour. Si je dois me contenter d'un amour bourgeois, autant vivre seule. Et puis, je me sens prête à avoir un enfant ; les années passent, il est temps d'y songer, mais lui ne semble pas très pressé. Sa carrière passe toujours avant notre famille. J'ai eu trop de mal à accorder ma confiance, si nous ne regardons plus dans la même direction, autant être honnête. Et tirer les conséquences qui s'imposent.

Je me posais beaucoup trop de questions. C'est à ce moment-là que j'ai compris qu'il était temps de partir.

Nous n'avions que dix-neuf ans lorsque nous avons emménagé ensemble. C'était sans doute trop tôt pour vivre en couple. Nous avons grandi, nous sommes devenus adultes ensemble et nos chemins se sont séparés.

Quand, à trente ans passés, je décide de quitter Frédéric après treize ans de vie commune, ma mère le vit très mal. Un jour, une dispute éclate dans sa cuisine pour une broutille. Elle s'emporte brusquement. Je ne comprends pas sa colère. Alors qu'elle a toujours prôné l'indépendance, du jour au lendemain, on dirait que je ne suis plus rien à ses yeux et qu'elle m'estimait davantage parce que j'étais avec un homme ! Je n'en reviens pas… Le ton monte entre nous, elle veut me frapper comme lorsque j'étais enfant, et je retrouve les mêmes réflexes d'évitement !

Toute ma vie, je me souviendrai de notre affrontement. Maman est furieuse, elle m'en veut, me faisant porter toute la responsabilité de cet échec ! Au bout d'un moment, n'arrivant pas à la calmer, je ramasse mes affaires, prends Nana, mon cocker, sous le bras, et monte dans ma Twingo. Dehors, mon père va m'ouvrir le portail de la maison et, lorsqu'il se tourne vers moi, je vois ses larmes couler ! J'en suis bouleversée mais il n'intervient pas pour calmer la tornade maternelle. Malgré lui, il est obligé de choisir entre son épouse et sa fille. Pour l'heure, la violence de ma mère et mon orgueil blessé sont inconciliables. Je dois partir.

J'ai pris la porte, comme disait souvent ma mère, et je n'ai pas revu mes parents pendant presque deux ans. Deux années très dures où je n'ai eu que très peu de nouvelles d'eux et où j'ai beaucoup souffert de leur absence. Mais ne pas revenir, c'était aussi affirmer mon choix, dire que personne ne pouvait dicter ma vie, que mes décisions ne regardaient que moi. Quoi qu'il en soit, la réaction de ma mère demeure toujours incompréhensible pour moi. Je lui en ai beaucoup voulu. Elle aurait dû comprendre, elle s'est comportée comme sa mère quand on était à Bourges et qu'elle fuyait mon père alcoolique.

Ce fut une période étrange où je me retrouvai sans famille et sans compagnon, avec la sensation profonde d'être à un tournant de ma vie. Je ressentis un sentiment de liberté intense lorsque je m'allégeai du poids de mon passé et que j'acceptai enfin l'idée que j'étais différente de ma famille. Et que, peut-être, je n'avais plus grand-chose à partager avec elle. Maman me rejetait car j'étais redevenue célibataire. Mais la distance ne datait pas d'hier. Elle s'était sournoisement installée au fil des années. Les études supérieures d'abord, puis la progression dans l'échelle sociale, m'ont peu à peu coupée des miens, et je me suis retrouvée encore plus seule que je ne l'étais déjà.

J'avais trente ans et tout s'écroulait autour de moi mais, que je le veuille ou non, le parcours de ma mère est inscrit dans mon corps, dans ma mémoire, dans chacun de mes actes. J'ai construit ma vie professionnelle et personnelle en faisant en sorte de ne jamais être en état de soumission à un homme. Instinctivement, je nourris une méfiance à l'endroit du sexe masculin. Les hommes me font peur.

À l'université, je fus recrutée comme maître de conférences à la Sorbonne, mais cette activité n'était pas suffisante pour que je me reconstruise pleinement. Je sentais intimement que mon rétablissement total ne passerait que par le temps que je consacrerais aux autres.

Depuis toujours, je songeais à m'engager en politique. C'est Pierre Mazeaud, ancien président de la commission des lois à l'Assemblée nationale et ministre des Sports, qui me mit le pied à l'étrier en m'encourageant et en parlant de moi à Matignon. Je l'avais rencontré au Conseil constitutionnel alors que je faisais un stage après ma soutenance de thèse. Il avait la réputation d'être entier, de refuser les compromis et j'aimais plutôt cela ! Et qu'il ait gravi l'Everest n'était pas pour rien dans l'immense admiration que je lui vouais.

Lorsque Alain Juppé m'appela un jour pour me demander de rejoindre l'UMP, d'abord je restai sans voix, puis j'acceptai. Il me semblait normal de rendre à la République ce qu'elle m'avait offert. C'est à cette époque que j'écrivis un rapport sur les droits des femmes immigrées. Déjà, j'entrevoyais quelles seraient mes futures batailles. Mais c'est surtout à Nicolas

Sarkozy que je dois d'avoir fait un bout de chemin en politique. Je lui en suis à tout jamais reconnaissante… en espérant qu'il m'ait pardonnée de l'avoir, à plusieurs reprises, fait sortir de ses gonds ! Cet homme, issu de l'immigration comme moi, sentit bien les choses en me confiant la présidence de la Halde, la Haute Autorité de lutte contre les discriminations. Mais il ne pensait pas que je la mettrais à feu et à sang pour défendre le principe de laïcité à travers le combat de la crèche Baby-Loup.

Jamais je n'ai eu autant le sentiment d'être à ma place ! J'ai eu contre moi une adversité violente et qui ne m'a rien épargné. Même sous les crachats je suis restée droite comme un i. Nicolas Sarkozy aurait, paraît-il, aimé ma combativité… D'où ma nomination au secrétariat d'État à la Jeunesse et à la Vie associative dans le gouvernement de François Fillon.

Le combat de la laïcité, c'est le combat de ma vie. C'est d'ailleurs plus qu'un combat parce qu'il va au-delà des idées, des opinions, des cultures. Pour moi, la laïcité, c'est l'émancipation des femmes. Jamais je ne cesserai de la défendre et il n'y aura pas d'arrangements, d'aménagements, de compromis, parce qu'il ne peut y en avoir. Ce serait courir le risque que la religion s'insère dans les failles, et elle le ferait d'autant plus que l'islam institutionnalise l'inégalité entre les femmes et les hommes et interdit la liberté religieuse. De même, je maintiens et persiste, il n'existe pas d'islamisme modéré, ou de charia light. Ne jamais abdiquer pour défendre les principes attachés à notre République.

Pour avoir défendu une petite crèche, on m'a accusée des pires maux. La presse s'est déchaînée. Elle était alimentée de manière malveillante par certains agents de la Halde. Mes « amis » politiques m'ont tourné le dos, refusant même de me recevoir alors qu'on s'apprêtait à supprimer cette institution protectrice du principe d'égalité. Paradoxalement, l'un des seuls députés qui accepta de me recevoir fut Noël Mamère, d'Europe Écologie les Verts.

Entre-temps, j'avais retrouvé mes parents qui ne s'attendaient pas à ce que je reste si longtemps éloignée d'eux. De peur de me perdre une deuxième fois, ils ne me posaient plus de questions. Maman ne m'a jamais interrogée sur mon travail et papa le faisait très prudemment, comme s'il marchait sur des œufs ! D'ailleurs, il l'a fait, il y a peu de temps. Porte-drapeau à Châteauroux, papa est de toutes les commémorations militaires, en dépit de ses quatre-vingt-deux ans. À cette occasion, un amiral ami lui demanda de mes nouvelles et quelles étaient mes fonctions. Papa ne sut que répondre et en fut assez gêné. De retour à la maison, il m'interrogea avec une grande délicatesse. C'était très touchant.

Cette fois, nous avions parlé, mais d'une manière générale la discussion entre nous, surtout avec mon père, n'était pas naturelle. Une situation que je partageais avec Charb qui ne racontait rien à ses parents. Eux-mêmes ne posaient pas de questions : « Je les ai bien dressés ! » plaisantait-il. Idem pour sa vie privée. Il a fallu des mois avant qu'il ne confie à sa mère que lui et moi nous voyions très souvent et que nous étions « ensemble ». Au début, il ne lâchait que des bribes d'information. « Oui, oui, on se voit... », disait-il. Le jour où il a raconté qu'il gardait souvent May à la maison et qu'il était son baby-sitter préféré, sa mère fut très surprise ! Un rôle dans lequel elle ne l'imaginait pas du tout. Il leur envoya pourtant une photo de nous trois, prise le 31 décembre.

Mon logiciel de vie est imprégné des blessures provoquées par la perpétuation de traditions archaïques : programmée d'une part pour réussir à l'école et, d'autre part, pour garder les hommes à distance, ne pas me marier. Ce destin de « pétroleuse », je l'ai accepté volontiers : le couple m'effraie et les phrases de maman sonnent toujours en moi comme autant de signaux d'alerte : « Ne dépends jamais d'un homme, on ne sait pas ce qui peut arriver. »

À bientôt quarante-deux ans, je nourris toujours des peurs irrationnelles qui m'empêchent de faire confiance aux hommes. Sauf rares exceptions... Je crois que je fais partie de ces femmes qui sont condamnées à « finir » seules, parce qu'en décalage permanent avec les autres. J'ai besoin de mon indépendance, de savoir que je peux partir demain sans être sous la coupe d'un homme.

Pour moi, toute union est synonyme d'hypothétiques violences. Le nombre de couples que j'ai vus se déchirer ou s'humilier en public ! Sans parler de ceux, hommes et femmes, que je connais, qui trompent leur conjoint et disent ouvertement qu'ils ne sont pas assez courageux pour recommencer leur vie avec celui (ou celle) qu'ils aiment. Il y a quelque chose dans cette démarche qui me dégoûte. Je ne comprends pas que l'on puisse se comporter ainsi.

En revanche, je n'ai pas eu peur, comme le chantait Jean-Jacques Goldman dans les années quatre-vingt, de « faire un bébé toute seule », en adoptant May, mon adorable petite Laotienne. Lorsque j'ai voulu entamer une procédure en célibataire, l'assistante sociale m'a demandé pourquoi je n'allais pas en Belgique me faire inséminer : « Vous n'aurez aucune chance d'adopter toute seule », me dit-elle. Intérieurement, je hurlais. Elle n'avait donc pas compris pourquoi je voulais adopter ? Je voulais sauver un enfant, en l'occurrence une petite fille asiatique, parce que je connaissais trop la situation et le devenir dramatique des gamines abandonnées en Asie où il en manque plus de cent millions, parce qu'on les tue à la naissance, qu'on les laisse mourir de faim dans le silence des foyers ou qu'on fait de l'avortement sélectif...

J'ai attendu des années mon enfant du bout du monde. Et finalement, elle est arrivée ! Et c'est elle qui m'a rendu le sourire. Que n'ai-je entendu à ce moment-là ! On m'a dit que je ne pourrais pas véritablement aimer ma petite fille, parce que je ne l'avais pas portée dans mon ventre, parce qu'elle n'était pas sortie de mon vagin. On m'a dit que je me préparais à de grandes difficultés. On m'a dit que « ces enfants-là » étaient très difficiles... On m'a même dit que j'aurais dû lui donner un prénom « plus français » pour qu'elle s'intègre mieux ! Que d'horreurs n'ai-je pas entendues ! Je l'avoue, elles m'ont parfois fait pleurer.

Quand ma petite May est arrivée à la maison en 2011, je ne pouvais pas me résoudre à me détacher d'elle. Les premières semaines étaient importantes pour qu'on s'apprivoise l'une l'autre. Je savais qu'elle avait besoin de moi. Elle qui avait quitté son pays, elle qui n'entendait plus les sons de sa langue maternelle.

Au ministère, où j'étais à cette époque, je fis donc installer un lit de bébé dans mon bureau. Lorsque, le mercredi, je devais me rendre en Conseil des ministres, c'était mon directeur de cabinet, mon cher Daniel Laurent, qui surveillait May. J'avais caché son adoption à tout le monde, y compris au Premier ministre. Comme May passait ses journées dans mon bureau, la nouvelle pouvait fuiter dans la presse. Pour éviter tout risque d'images volées de ma fille, avec mon accord, un hebdomadaire publia un entrefilet au titre charmant : « Joli mois de May. »

Le jour de la publication, François Fillon m'appela au téléphone : « Je crois que je dois te féliciter ? » J'étais un peu intimidée, gênée. Je bredouillai un semblant d'explication vaseuse au Premier ministre. Si aucun collègue du gouvernement ne passa voir May, certains eurent la délicatesse de lui offrir un présent. Après avoir caché la nouvelle par peur des réactions négatives, des réflexions déplacées, j'étais heureuse de pouvoir en parler et partager ma joie d'être enfin mère.

Il m'a fallu agrandir mon petit appartement, construire un nid pour May afin qu'elle se sente bien dans sa nouvelle maison. Sachant le mal que je me donnais, mon ami Jean-Paul Enthoven était perplexe : « C'est stupide de vouloir tout faire seule. Trouve-toi un homme riche et va habiter chez lui, c'est plus simple… », me disait-il. Beaucoup plus simple, en effet, sauf que… non. En toute amitié, Jean-Paul, c'est bien mal me connaître de m'imaginer perdre mon indépendance par intérêt financier. J'ai beau avoir les pieds sur terre, la tête sur les épaules, et me souvenir que j'ai manqué d'argent dans mon enfance, je ne suis pas vénale. Ma dernière histoire d'amour le prouve, non ?

Comme maman, mon père, vieillissant, s'inquiétait de ma solitude à Paris. L'arrivée de May dans ma vie le tranquillisa. J'ai attendu inconsciemment qu'il me donne le feu vert avant de commencer les formalités d'adoption. Je voulais être sûre qu'il l'aimerait comme sa « vraie » petite-fille (dans le droit musulman, l'adoption n'existe pas). Et j'avais peur aussi de la réaction de maman, qui peut être très dure parfois. Elle me racontait souvent qu'à ma naissance, lorsque le médecin accoucheur voulut me poser sur son ventre comme il le fait à toutes les nouvelles mamans, elle refusa catégoriquement : « Non, non, emmenez-la, elle est trop sale ! » dit-elle.

Si ma fille est là et qu'elle a réalisé le miracle de me faire renaître en me faisant mère, mes parents s'inquiètent toujours pour moi. Ma vie de femme – qu'un hebdo féminin qualifierait de « célibattante » – ne les rassurait pas. Depuis Frédéric, je ne leur avais présenté aucun compagnon. Par pudeur, mais aussi parce que je n'ai plus jamais réellement redonné ma confiance à un homme.

Lorsque j'ai appris que ma mère était gravement malade, j'ai ressenti un violent sentiment de culpabilité. Culpabilité de ne pas avoir enfanté, de ne jamais avoir été mariée, de ne pas avoir de compagnon.. Ces pensées me rongeaient car je pensais l'avoir déçue. Comment, moi, femme autonome et émancipée, féministe avec ferveur, ai-je pu ressentir un tel sentiment de remords et de regret ? À croire qu'on est toujours rattrapé par sa culture...

Je n'avais donc pas été une fille à la hauteur de ses espérances... Ma mélancolie était le résultat de cette quête impossible que je m'étais imposée enfant : parvenir à effacer la souffrance de mes parents. Ce vœu pieux, illusoire et arrogant à la fois, j'aurais tant aimé m'en approcher.

« Ce n'est pas grave si tu es seule... », disait-elle lorsque je venais la voir en soins intensifs à Châteauroux. Le pensait-elle vraiment ? Un soir, au cours d'un dîner avec des amis, je confiai mes doutes :

« Il faudrait que je me trouve un petit ami et que je le lui présente, dis-je, mi-grave, mi-rieuse. Si elle doit nous quitter, au moins qu'elle parte sereine.

– Ben tu l'as ton chéri, c'est moi, je suis ton mec », me répondit Charb. Il ajouta :

« Je veux la rencontrer. »

Je levai la tête. Ses grands yeux derrière des lunettes épaisses me regardaient avec une drôle de mimique.

Ma rencontre avec Stéphane Charbonnier, dit Charb, était totalement improbable mais elle a eu lieu. Et elle tient du miracle. En 1997, le journal dont il était le directeur avait été condamné pour injures faites aux harkis et, lui, à trois mois de prison avec sursis et 30 000 francs d'amende par le tribunal correctionnel de Montpellier. À l'époque, des enfants de harkis s'étaient installés sur l'esplanade des Invalides avec tentes et sacs de couchage pour dénoncer la situation sociale dans laquelle ils se trouvaient. Chômeurs en fin de droits sans aucune ressource, ils faisaient une grève de la faim pour alerter les pouvoirs publics.

À l'occasion, Siné publia un édito injurieux pour les gens qui, comme mon père, le caporal-chef Lackdar Bougrab, eurent pour seul tort de choisir la France et de combattre à ses côtés. Un recours fut introduit par une association et le tribunal jugea que « le choix des mots, leur caractère hautement méprisant, leur véhémence d'invective » constituaient une injure « visant précisément les harkis et la communauté qu'ils forment ».

Le texte odieux de Siné, je m'en souviens encore : « Traîtres à leur patrie, ils ne méritent que le mépris ! Quant aux enfants de ces harkis, les pauvres, ils n'ont guère le choix ! Soit : 1) ils en sont fiers, ou 2) ils en ont honte. Dans le premier cas, qu'ils crèvent ! Dans le second, qu'ils patientent jusqu'à ce qu'ils deviennent orphelins ! »

Logiquement, cet article infâme aurait dû suffire pour que je ne pose même pas un regard furtif sur Charb, communiste de surcroît, parti dont la position à l'égard des harkis était et demeure une honte.

Je ne comprends pas pourquoi, lorsque certains journalistes ou écrivains parlent des harkis, ils tombent automatiquement dans la calomnie et l'indécence... Dans un édito publié dans *Les Temps modernes* en 1961, Claude Lanzmann n'avait-il pas traité les harkis de « chiens », les accusant de « pratiquer les basses besognes, se salissant les mains dans les caves du quartier de la Goutte-d'Or à Paris[1] ». Comment le réalisateur du film *Shoah* a-t-il pu écrire de telles horreurs ? Personne ne pouvait ignorer, et lui moins que quiconque, que plus de cent cinquante mille harkis ont été massacrés au lendemain des accords d'Évian, et dans des conditions atroces : « Émasculés, écorchés vifs, bouillis, mutilés, coupés en morceaux, écartelés ou écrasés par des camions, familles entières exterminées, femmes violées, enfants égorgés[2]. »

La trahison, l'injustice et l'inhumanité subies par les harkis sont profondément ancrées en moi. Elles m'ont structurée intellectuellement dans la recherche d'un semblant de réparation, au moins pour mes parents. Mon père, cet ancien soldat, abandonné et rejeté par la France, m'a transmis des valeurs comme l'honneur, l'amour de mon pays, de ma patrie. Quelles que soient les circonstances, je suis charnellement et viscéralement attachée à la France.

D'un autre côté, j'avais du respect pour *Charlie Hebdo* et leur témérité depuis la publication des caricatures de Mahomet. L'histoire était partie du Danemark. En réponse à Kåre Bluitgen, un écrivain qui s'était plaint que personne n'osât illustrer son livre

1. Claude Lanzmann, in *Les Temps modernes*, avril 1961.
2. *Harkis, soldats abandonnés*, XO Éditions, 2012, p. 31.

sur le Prophète depuis l'assassinat de Theo Van Gogh aux Pays-Bas en 2004 – huit coups de feu, égorgé et presque décapité, et deux couteaux plantés dans la poitrine par un islamiste néerlandais d'origine marocaine –, le quotidien *Jyllands-Posten* avait demandé à douze dessinateurs de réaliser des caricatures. Elles parurent le 30 septembre 2005, suscitant de violentes manifestations dans le monde entier. Des attentats eurent lieu, dont un, meurtrier, contre l'ambassade du Danemark au Pakistan qui fit six morts.

Par solidarité et pour défendre la liberté d'expression, elles furent reprises par *Charlie Hebdo* en 2006. La Mosquée de Paris et l'Union des organisations islamiques de France (UOIF) déposèrent une plainte pour injure devant le tribunal correctionnel de Paris. Elles étaient représentées par deux avocats. Malgré leur brillante plaidoirie, tant en première instance qu'en appel, elles furent déboutées de leur demande. Mais depuis cette date, le journal est la cible d'attaques, comme en 2011 où les bureaux ont été incendiés, l'obligeant à déménager. Certains dont Rokhaya Diallo n'hésitèrent pas non plus à signer une pétition dont le titre laisse rêveur : « Pour la défense de la liberté d'expression contre *Charlie Hebdo.* »

Depuis lors, il n'y avait pas une conférence, un séminaire, un livre[1] où je n'intervenais pas sur mes thèmes de prédilection : les droits des femmes, l'éga-

1. Jeannette Bougrab, *Ma République se meurt,* J'ai lu, 2013, p. 108.

lité, la laïcité ou la liberté d'expression, et où je rendais hommage à cet homme protégé par la police vingt-quatre heures sur vingt-quatre pour défendre le droit de blasphémer : le dessinateur Charb Pour moi, il s'inscrivait dans la longue lignée des hommes qui se lèvent pour défendre la tolérance et la liberté d'expression. Charb et Sébastien Castellion évoqué plus haut ont eu des destins qui les ont dépassés, sans le savoir d'ailleurs, en devenant des soldats de la libération du genre humain. Leurs combats demeureront mémorables.

Je trouvais naturel de le défendre car on l'accusait souvent de stigmatiser les musulmans voire d'être raciste, au point qu'il dut publier une tribune dans *Le Monde* en 2013 pour se justifier : « *Charlie*, notre *Charlie Hebdo*, a mal aux tripes et au cœur, écrivait-il. Car voilà qu'une incroyable calomnie circule dans des cercles de plus en plus larges, qui nous est rapportée chaque jour. *Charlie Hebdo* serait devenu une feuille raciste[1]. »

J'ai eu la chance de le rencontrer grâce à mon ami Patrick Besson, écrivain brillant à l'humour corrosif. Dans nos discussions délirantes, il imaginait l'histoire d'une pasionaria de la laïcité, fille de harkis tombant amoureuse d'un dessinateur communiste porteur de lunettes à double foyer en raison d'une hypermétropie sévère, et affectionnant les pantalons kaki achetés aux Puces de Saint-Ouen ou dans les surplus de l'armée. Des treillis militaires… Pour un antimilitariste, quel paradoxe !

1. Charb, *Le Monde*, 25 novembre 2013.

J'avoue, je reconnais le côté pratique de ces pantalons peu esthétiques. Les mois qui suivirent, il me demanda souvent si je voulais mettre des choses dans ses multiples poches. Je sortais donc sans sac à main. Mes clés, ma carte bancaire et mon rouge à lèvres trouvèrent désormais place dans ces immenses réceptacles cousus le long de ses jambes. J'appréciais de m'abandonner à lui.

Un jour d'automne, à midi, en entrant dans la brasserie Lipp à Saint-Germain-des-Prés, j'aperçois Patrick Besson attablé. Il me fait signe et je viens m'asseoir en face de lui, enchantée de le voir par hasard. Nous échangeons quelques mots et, du menton, à droite, il me montre Charb, déjeunant avec Patrick Kessler, du comité Laïcité. Quel hasard ! Patrick recommence à me titiller, prétendant que je n'oserai pas entamer une discussion avec le directeur de *Charlie Hebdo*, moi, l'ancienne ministre de Nicolas Sarkozy. C'est bien mal me connaître ! J'attends le moment opportun et m'approche de Charb pour lui exprimer toute mon admiration.

Comme toujours, il a un maillot rayé – il ne portait que ça et des pulls Saint James dont je trouvais la laine particulièrement rêche. « Mais ce n'est pas doux, ça gratte ce truc !… » Son regard coquin me faisait rire : « C'est ça qui est bon… », disait-il. Il en prenait le plus grand soin, même en les apportant au pressing ! Ces précautions soulignant un côté précieux de sa personnalité m'amusaient. Treillis et maillot rayé, c'était son uniforme. Bien avant Arnaud Montebourg en marinière avec son mixeur Seb en couverture du *Parisien*, Charb était l'ambassadeur du made in France.

La discussion est assez naturelle : nous connaissons notre terrain d'entente, ayant, l'un et l'autre, en 2012 et 2013, reçu le prix de la Laïcité. On rit, on plaisante, il se passe quelque chose d'assez indéfinissable, à tel point qu'à un moment, je lui demande tout à trac s'il accepterait de m'épouser ! C'est pour rire, évidemment, et ce comportement un peu déluré ne me ressemble pas. Pourquoi me suis-je crue autorisée à lui faire cette avance ? Il n'aurait pas eu complètement tort de me prendre pour une folle à cet instant. Dire qu'il y a encore quelques semaines, il racontait avec fierté l'histoire de notre première rencontre... Malgré tout, ce jour-là, nous nous quittons sans échanger nos coordonnées.

Quelques semaines plus tard, je le revois chez Findi, un restaurant italien du boulevard Malesherbes où Richard Malka a organisé un déjeuner à trois. Ces retrouvailles sont décevantes. Je ne le trouve pas très attirant, peu loquace, loin du type « qui se jette sur tout ce qui bouge » comme l'ont décrit ses camarades. Il m'explique fièrement qu'il fait du tir, ajoutant qu'il voudrait bien posséder une arme mais qu'on lui a refusé son permis car il bénéficie d'une protection du SPHP[1]. Il insiste même pour me montrer, sur son téléphone, des photos de lui au stand de tir (au passage, il me fait voir son fond d'écran : la tête de Joseph Staline, un comble). Moi qui déteste les armes, je trouve cette activité ridicule et même un peu beauf. Le déjeuner est un

1. Service de protection des hautes personnalités.

beau ratage, sans compter que je me suis imposé bêtement des talons de douze centimètres pour lui plaire. Un calvaire.

Pour lui plaire, oui, j'avais envie d'aller vérifier ma première impression mais après cette deuxième rencontre, je ne sais plus trop. L'homme est changeant, on ne sait jamais quelle sera son humeur. Nous nous revoyons et, peu à peu, sans que je sache comment, nous nous rapprochons pour ne plus nous quitter. Des aimants, malgré nous.

J'ai retrouvé une photo qu'il m'avait envoyée quelques jours avant sa mort, une photo que je ne connaissais pas et qu'il avait prise de moi lors d'une soirée à La Closerie des Lilas où je fêtais mon anniversaire, mes quarante ans, avec tous mes amis. Ce soir-là, il avait été l'un des derniers à partir. Il parlait à tout le monde et avait l'air de bien s'amuser. Sans que je m'en aperçoive, il m'avait mitraillée sous toutes les coutures avec son téléphone portable. Sur cette photo, je suis de dos et je m'apprête à souffler mes bougies. Il a photographié ma nuque, mes cheveux relevés en chignon et ma robe couleur mandarine sur mon épaule nue. La photo est d'une sensualité étrange, j'ai l'impression de sentir son regard sur ma peau.

D'une nature assez timide, il ne comprend pas comment je peux m'intéresser à lui. Tant de choses nous séparent, sauf cet amour joyeux, tendre et passionné que nous échouons à vouloir ignorer. Lui, l'éternel adolescent d'extrême gauche, moi la mère célibataire de droite, comment pourrions-nous nous entendre ? Et pourtant. Nous en sommes les premiers surpris et émerveillés…

Le couple est une entité qu'il perçoit mal. L'idée que l'individu s'efface devant le « nous » l'effraie. Lui et moi avons une peur bleue du mariage ; le symbole de la corde au cou, très peu pour nous. Il est donc naturellement contre et ne veut pas d'enfant. Il raconte même avoir quitté une compagne qui voulait lui en faire un… Et pourtant, notre rencontre ne le fait pas fuir. Il faut dire qu'avec moi, pas de risque que je veuille l'épouser ! J'ai ma petite May, adoptée à des milliers de kilomètres de la France, un miracle, et ma stérilité qui me meurtrit et empêche toute grossesse. Le rêve pour lui…

Stéphane, comme moi, revendique un célibat « pur et dur ». Jusqu'à ce jour funeste, lorsqu'on me demandait si j'étais en couple ou si je vivais seule, je répondais que j'étais célibataire. Mais je le disais tout autant lorsque je vivais avec mon précédent compagnon qui a partagé ma vie pendant treize ans, pour éviter les questions indiscrètes, les allusions déplaisantes. Ce qui n'empêcha pas les curieux de tenter de remplir le vide en inventant n'importe quoi. On a même prétendu que j'étais lesbienne… Qu'on le pense m'importe peu, du moment qu'on me laisse tranquille. L'adage « Pour vivre heureux, vivons cachés » était notre leitmotiv à tous les deux.

Comme deux animaux sauvages, nous nous sommes « trouvés », apprivoisés. L'irruption de sa brosse à dents dans ma salle de bain est considérée par lui comme une révolution copernicienne ! Sa brosse à dents, que je garde aujourd'hui comme une relique…

On se dit qu'on vivra toute notre vie ensemble, une relation aussi légère que sérieuse. Parfois, on se dit que c'est parce qu'on ne vit pas ensemble, et puis non. Il suffit qu'on se regarde et tout est simple. Il a réussi à faire tomber les murailles que j'avais dressées autour de moi pour me protéger. Dès qu'il est là, toutes mes angoisses s'envolent, comme par magie. Je ris à nouveau. Notre règle est « Jamais plus de trois jours sans se voir ». Au-delà, c'est insupportable.

Demain, après-demain, les jours, les semaines, les mois, les saisons qui s'annoncent et qui passeront m'enlèvent toute envie de continuer : comment vais-je pouvoir vivre sans lui ?

« Tu es celle qui me permet de me lever le matin et de m'endormir le soir, amour. Bonne nuit, chérie », m'écrivait-il la veille du drame, en revenant d'un récital de fado. Le miracle des SMS qui surgissent quand on ne les attend pas et qui embellissent un quotidien souvent pesant. Les premiers jours après l'attentat, dès que j'en recevais un, je sursautais en pensant : « Ça doit être Charb… »

On m'a dit que ces mots, il ne les pensait pas, que c'était de l'humour et, quoi qu'il en soit, rien de bien sérieux. Mais lorsqu'on me dit de lui qu'il se fichait des démonstrations de tendresse, je sais qu'on ne parle pas du même homme.

« Je t'aime, je t'aime, je t'aime, je te désire et je sais que ce désir sera assouvi. Alors je suis heureux, mon amour », m'écrivait-il encore. En un an et demi, j'ai appris à le connaître : ce message n'était pas celui d'un menteur, d'un calculateur, d'un cynique…

La famille, les enfants le font fuir, mais il va séduire ma petite May comme personne ! Il l'aime et s'en occupe sans que rien l'y oblige. Je vois bien que ça l'amuse. Le matin, quand il a le temps, il la dépose à l'école, et s'il peut aller la chercher, il y va, il en a l'autorisation écrite, parfois même avec sa protection policière. Grégory, l'un de ses officiers de sécurité, garde un souvenir mémorable d'un orage de May.

Certains jours sont plus durs que d'autres : le lundi 5 janvier, deux jours avant l'attentat, Charb emmène May à l'école, tandis que je rejoins maman à Villejuif. Ce jour-là, ma fille est particulièrement grognon. À 8 h 28, premier SMS de Charb :

Lui : Renfrognée mais sans pleurs.

Moi : Tu réussis mieux que moi. Elle pleure à chaque fois. Je t'aime. Tu es sur ton Vélib' ?

Lui : Oui, ça y est, je viens d'arriver. Je t'aime.

Moi : Mon amour parfait, mon tout, mon idéal.

Lui : Ma lumière.

Et il fait même baby-sitter, les soirs où je dois me rendre au Cercle interallié pour le dîner du Siècle, temple du capitalisme et repaire des puissants ! May, qui n'est pas un monument de patience, se plie joyeusement à l'autorité masculine. Rien n'est plus doux pour moi que d'être à l'étage du dessus et de les entendre rire au bas de l'escalier. Dessin, pâte à modeler, vélo, balançoire, et même le poney au Luxembourg, il explore l'univers de l'enfance avec un certain délice. Je ne me lasse pas de les filmer avec mon téléphone. Ces images qui me restent et que personne ne pourra m'arracher me rappellent à quel point nous étions heureux.

Au fil des mois, sa présence s'intensifie auprès de nous, notamment pour me soutenir dans le drame qui touche maman. Ma fille l'appelle « papa » ou « ton-

ton », personne ne lui a rien dit, elle en a décidé ainsi et cela n'a pas l'air de déplaire à Charb. Il le raconte à certains de ses amis, y compris à Éric Portheault, l'un des actionnaires de *Charlie Hebdo*, en s'en amusant, qui se gardera bien de le répéter au moment où les chiens se jetteront sur moi.

Lorsque je lui raconte que mon père m'appelait « Patata », patate en arabe, quand j'étais enfant, il s'en souvient et dessine dans son journal une planche de *Maurice et Patapon* intitulée « Adoption ». Maurice adopte une petite « Patata », après que des agriculteurs eurent déversé des tonnes de pommes de terre place de la République, en novembre 2014. C'est la plus jolie déclaration d'amour que me fait mon chéri. Déclaration secrète, personne ne sait. Ensuite, il me fait des clins d'œil dans chaque numéro, glissant des mots, « maître des requêtes au Conseil d'État », « Feuilles mortes au jardin du Luxembourg », des expressions à nous. Parce qu'il sait que j'adore l'artiste urbain Thomas Vuille, papa de M. Chat, ce gros chat jaune qui égaie les murs sombres des villes, et que le graffeur est poursuivi pour avoir dessiné dans des stations de métro, Charb le soutient dans les colonnes du journal.

Toutes ces marques de complicité amoureuse me touchent. On est loin de l'image qu'il véhicule, Charb l'incorrigible caricaturiste, Charb le provocateur, Charb l'insolent... Avec moi, il est doux, gentil, me fait mon café avant de partir travailler, m'achète des pains au chocolat pour mon petit déjeuner, m'accompagne volontiers dans des soirées, me submerge de textos tendres toute la journée.

Oui, Charb, le sale gosse, peut faire ce genre de choses, comme aller au cinéma, le matin, voir un film pour enfants ! Le 1er janvier, nous emmenons May voir *Les Pingouins de Madagascar* et on rigole de bon cœur. Notre dernier film ensemble. Le premier que nous sommes allés voir c'était *The Lunchbox*, un film indien. Pas le genre de film qui l'aurait attiré spontanément mais il m'a suivie. Cette histoire d'amour entre une femme et un homme, leurs rencontres, à travers des petits mots échangés, lui a beaucoup plu. C'est un peu nous avec nos textos d'adolescents amoureux... Le film est poétique, délicat, à des années-lumière de l'esprit *Charlie*, du langage cru, de la satire.

Cet homme attentif, prévenant, je l'aime plus que tout, il m'apaise, me fait rire, il sait toujours comment chasser le spleen qui peut m'envahir à certaines heures.

Souvent, il me disait admirer ma force. S'il me voyait aujourd'hui, il ne me reconnaîtrait pas. J'ai l'impression d'être morte avec lui. Un voile... de deuil se pose sur chacune de mes pensées.

Je me souviens du charmant qualificatif dont il m'avait affublée lorsqu'il me sentait douter de tout : « Tu es une *warrior* », disait-il. Une guerrière. Quand j'étais partie pendant six mois pour réaliser mon documentaire, je l'avais tenu informé de tous mes déplacements, je lui racontais ces terres gangrenées par toutes les déclinaisons des islamistes, les talibans, Al-Qaïda, chebabs et autres... Je lui décrivais l'exploitation des petites filles, le courage qu'elles m'insufflaient. Il voulait tout savoir et aurait adoré m'accompagner. Pour plaisanter, il me disait : « Viens, on va aller soutenir les combattants kurdes en Irak. » Heureusement qu'il me restait un peu de bon sens ! « Tu es dingue, mon amour… », lui disais-je. Mais je crois que je l'aurais suivi au bout du monde.

Une *warrior*… Tu avais sans doute raison, mon amour, dans mes luttes je ne lâche rien, mais ce soir, je dépose les armes.

Dans la presse, je lis que je n'étais pas importante pour lui, puisqu'il ne m'a jamais invitée à la rédaction de *Charlie Hebdo.* Et pour cause, je n'y tenais pas du tout ! Lui-même compartimentait son existence : de sa vie sentimentale, ses collègues ne savaient que ce qu'il voulait bien en dire. Il avait raison, d'autant que, pour la bande de *Charlie Hebdo,* je ne devais pas ressembler à ses anciennes amoureuses. Quadragénaire, femme de droite et mère de famille, je n'avais pas le bon profil.

De mon côté, les gens de ma famille politique qui étaient au courant s'en fichaient royalement. J'avais toutefois évité d'en parler à Nicolas Sarkozy – pas tout de suite, en tout cas –, n'ayant pas envie qu'il m'appelle chaque semaine en me reprochant la une de *Charlie Hebdo* !

Il y a trois ans, après la parution des caricatures et le risque de représailles qu'il encourait, Charb avait affirmé qu'il n'avait « pas de gosses, pas de femme, pas de voiture, pas de crédit » et qu'il était totalement libre de ses agissements. C'est l'image qu'on a de lui et malheur à celle qui voudrait en peindre une autre qui ne correspondrait pas à l'idée qu'on se fait d'un directeur de journal satirique. L'homme que j'ai connu n'était pas détaché des soucis matériels. Propriétaire d'un nouvel appartement, il était angoissé par les problèmes de copropriété. La gestion du journal lui pesait. Il faut dire qu'à *Charlie* les problèmes ne manquaient pas ! Parfois, il imaginait que nous vieillirions ensemble et il le disait… avec ses mots à lui ! « On se torchera le cul mutuellement parce qu'on sera totalement incontinents et dépendants ! » disait-il. Cette phrase me fait pleurer alors qu'elle m'amusait tant, avant.

Nous avions chacun notre vie, notre famille, nos amis, nous n'avions pas besoin d'être « collés » pour nous aimer. Chacun respectait l'indépendance de l'autre. Je n'allais pas le chercher à son journal, en revanche, lui venait souvent m'attendre à la sortie du Conseil d'État. De loin, j'apercevais sa silhouette dégingandée, mains dans les poches, avec sur la tête sa casquette kaki trop petite qu'il aimait tant. Et nous rentrions à pied, bras dessus bras dessous, dans les rues de Paris. Simplement, comme tous les couples qui s'aiment. Ces moments étaient pour moi les plus beaux du monde…

Nous ne nous affichions pas, mais on ne se cachait pas non plus : le 17 novembre dernier, il était présent à la projection de presse de mon premier film documentaire, et nous étions ensemble aux trente ans de Canal+. Quand je lui ai demandé si je pouvais l'accompagner à la fête de *L'Humanité*, ses officiers de sécurité s'y sont opposés, prétextant l'impossibilité de veiller sur moi ! « Déjà les socialos se font lyncher quand ils y vont, alors toi… », avait remarqué Charb en souriant. Cette interdiction me sidérait. Je suis allée au Yémen où Al-Qaïda fait régner la terreur, au Pakistan où la jeune Malala a reçu plusieurs balles lors d'un attentat et suis revenue indemne, mais la fête de *L'Huma* à

La Courneuve était pour moi un champ de mines ! Comme ce paradoxe ridicule nous avait amusés !

En revanche, il avait obtenu l'autorisation de l'association Cuba Si, présidée par Wolinski, pour se rendre à Cuba au mois de mai 2015. Nous devions partir ensemble avec des membres du parti communiste pour la fête nationale. Moi, ancienne ministre de Sarkozy, aller à Cuba avec mon chéri voir le défilé militaire et entendre un discours fleuve de Raul, le frère de Fidel Castro, j'adorais cette idée ! Je l'avais partagée avec Christiane Taubira qui avait beaucoup ri.

Cette perspective faisait de moi la plus heureuse des femmes. Je m'imaginais déambuler dans les rues de La Havane en attendant mon homme occupé par ses activités politiques, fumant cigare sur cigare et buvant du rhum. Cette lune de miel que je n'ai jamais vécue avec qui que ce soit, je voulais la vivre avec lui. Nous qui détestions les vacances, ce serait un peu notre voyage de noces. Mais, voilà, le beau rêve a été massacré, ensanglanté.

La lune de miel, les voyages, les balades... Elle est tellement longue, la liste de tout ce que nous ne pourrons plus faire ensemble… *Dis-moi que tu m'aimes*, notre chanson fétiche, nous ne la chanterons plus. Mon amour connaissait les paroles par cœur. Il la fredonnait en me prenant par la taille pour me faire tournoyer. Je souris en pensant que cette chanson a été écrite par Benjamin Biolay, l'ennemi juré de son ami Bénabar. Et nous ne regarderons plus *Les Lapins crétins* à la télévision en riant comme des idiots. Lorsque nous n'étions pas ensemble, celui qui tombait le premier sur ce programme envoyait un SMS à l'autre : « *Lapins crétins* sur la 3 ! »

Tous les souvenirs remontent d'un seul coup. Ceux des dernières semaines avant… Quelques jours avant ce mercredi 7 janvier, je ne me sens pas très bien et Stéphane va m'acheter des médicaments à la pharmacie de mon quartier. La scène est cocasse car la pharmacienne de la rue Saint-Jacques hésite à lui donner des médicaments génériques, sachant que je ne les aime pas. « Donnez-les-moi quand même ! lui dit Stéphane, ne vous inquiétez pas, je dirai que je ne savais pas… » Lorsqu'il me l'a raconté, je riais en imaginant la scène et la gêne qu'a dû éprouver ma pauvre pharmacienne devant le tour que ce grand gosse espiègle lui jouait.

Le week-end précédant le drame, nous allons ensemble dans une librairie de la rue des Écoles, acheter un livre, *L'homme qui aimait les chiens*, pour l'anniversaire de Luz. Il adore les chiens. Sur la couverture, il y a une faucille et un marteau. Quel joli clin d'œil ! Son épouse veut organiser un anniversaire-surprise. Il n'aura pas lieu : c'est le jour de l'attentat. Je me souviens de tout ce que nous avons fait, l'avant-veille, la veille, ce que nous nous sommes dit, écrit, la veille au soir, le matin même. Nous ne le savions pas mais, pour lui, le compte à rebours avait déjà commencé…

Au retour de mes reportages, nous nous retrouvons à l'anniversaire de Richard Malka, en juin 2014. La joie de nous revoir, de nous dévorer des yeux, de nous toucher, ne nous décolle pas l'un de l'autre. Le monde n'existe plus autour de nous, que nos baisers répétés, infinis. Pour une fois, je me fiche du regard des autres et lui aussi. Des gens de *Charlie* nous voient et cela n'a pas l'air de les déranger. Il y a Élisabeth Lévy, Caroline Fourest et sa brillante compagne Fiammetta, Riss et sa femme...

On ne sait pas pourquoi certaines trajectoires de vie se croisent et bifurquent pour devenir parallèles, puis ligne unique. Moi que ma mère a programmée pour ne pas faire confiance aux hommes, en me répétant que si j'aimais je serais nécessairement maltraitée, j'ai mis sur pause mon ordinateur personnel et regardé de plus près cet escogriffe joyeux qui, à en croire son entourage, n'était pas pour moi. Pour une fois, un homme éteignait la peur d'une éventuelle violence que ses congénères pouvaient susciter en moi. Et ce n'est pas rien.

Nous nous connaissions depuis trois ans mais c'est à partir du moment où ma mère est tombée gravement malade que notre relation a changé de nature. « Ne laisse pas le spleen gagner, amour. Je t'aime, je t'aime, je t'aime », m'écrit-il, sentant combien j'ai besoin de soutien. Devant mes angoisses, Charb me dit qu'il veut rencontrer maman. C'est un moment assez étrange pour moi, mais finalement, tout se passe très naturellement. Elle reste plusieurs semaines à la maison pour espacer les déplacements de la province à Paris, passer des examens qui confirmeront le triste diagnostic : cancer du pancréas. Le matin, maman et Charb se croisent et se saluent gentiment. Elle l'aime et me le dit. Elle ajoute même qu'elle lui trouve de l'allure, « il porte beau », précise-t-elle. Ce qui me fait sourire quand je pense à ses treillis militaires, mais dans l'ensemble, elle n'a pas tort...

Ensuite, il part enfourcher son Vélib', pour « traverser la rivière » comme il dit, et je l'imagine sur son vélo, descendant nez au vent le boulevard Saint-Michel, moment qu'il adore parce qu'il se libère de la contrainte de ses gardes du corps et oublie, peut-être, la menace terroriste.

À la maison, il est toujours le premier à se réveiller car il veut passer chez lui avant que ses officiers de sécurité ne viennent le chercher pour, ensuite, l'escorter jusqu'au journal. La première fois qu'il remonte de la cuisine avec un café et un verre d'eau fraîche, je n'en crois pas mes yeux. Il est incroyable, quel bonheur ! Chaque matin, j'ai même droit à un pain au chocolat, jusqu'à ce que je crie Stop ! (et à contrecœur), ne pouvant plus attacher le bouton de mon jean !

Cette bienveillance pour moi me ramène naturellement à mon père qui a toujours été aux petits soins pour sa fille. Lorsque je vais passer quelques jours à Châteauroux, papa ne me laisse pas aller me coucher sans que j'aie écrit sur un bout de papier ce que je veux pour mon petit déjeuner. Comme il prononce difficilement les mots « pains au chocolat », « croissants », « chaussons aux pommes », il préfère donner ma commande écrite sur une petite feuille à la vendeuse. À quatre-vingt-deux ans, ce vieil Arabe qui a grandi dans les montagnes de Blida se lève à l'aube pour aller chercher mes viennoiseries préférées, et lorsque je me réveille, mon petit déjeuner est prêt ! Une telle délicatesse d'un père pour sa fille me bouleverse toujours autant.

Inconsciemment, cette attention toute bête est devenue un critère pour savoir si un homme m'aimait vraiment et j'avoue l'avoir utilisé dans mes relations. Je dois dire que mon chéri a passé le test « haut la main » ! Le diable se loge toujours dans les détails. Ce geste anodin était pour moi le détail qui prouvait qu'il était « l'homme du reste de ma vie », comme je le lui écrivais souvent.

Parfois, je lui confiais ma peine de voir ma mère souffrir et combien je redoutais sa disparition L'enterrement me semblait au-dessus de mes forces, le cérémonial arabe, surtout, le repas, les hommes d'un côté, les femmes de l'autre… « Je ne pourrai pas y aller… », lui disais-je. Charb me réconfortait. « Tu iras, tu le feras pour ton père. » Comment aurais-je pu imaginer qu'il partirait avant maman...

Ce mercredi du 7 janvier, j'ai mis cette robe noire achetée avec mon chéri et que je n'ai portée qu'une fois, le 27 décembre, à ce dîner de Noël chez des amis où j'étais avec Charb et May. Ce soir-là, je n'ai pas arrêté de filmer mon homme et ma petite puce qui courait de bras en bras mais revenait inévitablement se réfugier dans les jambes de Charb. Elle s'y trouvait bien. Et moi, j'étais heureuse, j'avais l'impression d'être en famille, sans que cela me pèse ni m'étouffe.

Dans mon bureau du Conseil d'État, une alerte retentit sur mon téléphone. « Attentat contre *Charlie Hebdo* ». Un long frisson me traverse le corps, comme une épée qui me transpercerait de haut en bas. J'appelle tout de suite Stéphane, c'est le jour de la conférence de rédaction. Sa ligne est occupée ou bien elle sonne dans le vide. Je m'accroche à l'idée qu'il répond à d'autres appels inquiets. Mais pourquoi alors ne m'appelle-t-il pas ? N'en pouvant plus, je téléphone à Richard Malka qui s'apprête à filer au journal : « Je passe te prendre en taxi et on y va ! » me dit-il. Mais l'émotion est trop forte, je fais un léger malaise et le médecin du Conseil d'État vient s'occuper de moi. « Il faut vous allonger un moment... », dit-elle, sans savoir ce qui se passe. Non, non, il faut que j'y aille ! Le médecin reste à mes côtés jusqu'à ce que la voiture arrive place du Palais-Royal. Ensuite, on file vers le boulevard Richard-Lenoir.

Le taxi fait ce qu'il peut pour avancer dans la cohue, et de temps à autre des voitures de police nous dépassent, toutes sirènes hurlantes. Dans la voiture, nous sommes silencieux, crispés, essayant de ne pas songer au pire. La radio nous distille les informations... un attentat, deux hommes, des kalachnikovs... des morts, on ne sait pas encore combien et qui... je me bouche les oreilles.

Plus on s'approche de la rue Nicolas-Appert, plus je vois de policiers, de blouses blanches. « Jamais on ne nous laissera franchir les barrages... », dis-je à Richard. J'appelle à l'aide Anne Gravoin, une femme admirable, qui s'empresse de prévenir Manuel Valls, son époux. La voiture peut continuer à avancer. Mon cœur s'affole, j'ai les jambes molles. Des policiers arrêtent le taxi à trois cents mètres du journal. Je sors et me mets à courir comme une forcenée. Caroline Fourest et Fiammetta arrivent en même temps que moi devant la rédaction de *Charlie Hebdo*. Le président de la République entouré de ses conseillers se trouve déjà sur les lieux. Je m'approche des secours : « Où est Charb ? dis-je, où est mon compagnon ? » À ne pas savoir à qui m'adresser, je dois avoir l'air d'une égarée. Mais il faut que je le voie tout de suite !

Patrick Klugman, ancien vice-président de SOS Racisme et de l'Union nationale des étudiants juifs de France, apparaît alors et, d'un hochement de tête, me fait comprendre que Charb est mort. Je ne veux pas le croire. Mes jambes se dérobent sous moi. Richard m'aide à me relever pour éviter qu'on me photographie ainsi. Ensuite, je marche vers la porte du journal. La sécurité m'empêche de pénétrer. La police scientifique entre et sort de l'immeuble, j'ai l'impression que tout le monde peut voir où est Charb, sauf moi, c'est insupportable. Sur le sol, gisent des draps blancs qui ont dû recouvrir des corps, on voit des traces de sang, et un tee-shirt rayé dont je me demande s'il s'agit de celui de mon amour. J'imagine son corps criblé de balles, au sol. Je veux être près de lui, c'est presque animal, il faut qu'on me laisse passer. « C'est pas beau à voir », dit un agent de sécurité. Je m'en fiche, laissez-moi, je suis grande, je vais supporter, de toute façon le pire vient de se produire, qu'est-ce qui peut m'arriver de plus grave ? Il faut que je le voie, il faut que je le voie pour le croire ! Là, je ne crois à rien, tout est confus, irréel.

C'est non, je ne peux pas entrer.

Une salle de théâtre est réquisitionnée pour regrouper les rescapés de la tuerie. Les secouristes tentent de m'y emmener mais je ne veux pas. Je pleure, je refuse qu'on m'éloigne de mon amour. Patrick Pelloux sort de l'immeuble et me tombe dans les bras, en larmes lui aussi : « Tu l'as rendu heureux, me dit-il, c'est le plus important. Tu dois conserver ce souvenir », sanglote-t-il. Mais lui aussi me répète que je ne dois pas voir son corps.

Je suis restée près de cinq heures assise sur le trottoir glacé, à attendre, sans savoir à quel moment son corps a été emmené à l'Institut médico-légal. Prise d'hypothermie, on m'a conduite à l'Hôtel-Dieu. Les blessés sont partis dans un autre hôpital, je voudrais être près d'eux, les voir, peut-être leur parler, mais je me retrouve esseulée dans cette chambre. Une seule idée m'obsède : comment les parents de Stéphane vont-ils ? Charb cloisonnait tout, personne au journal n'a leur téléphone, même pas Pelloux. Je voudrais être à leurs côtés...

Finalement, nous nous parlons au téléphone et je vais les voir en début de soirée dans leur appartement de Pontoise, pour me présenter à eux. De moi, ils ne connaissent que la photo de Noël où nous posons avec Charb et May. « Votre petite fille a de beaux cheveux... », me dit sa mère. En moi-même, je lui réponds que son fils avait, lui, des cheveux très doux. « J'aurais préféré vous connaître dans d'autres circonstances... », dira-t-elle pour finir. Ses parents m'apprennent qu'ils n'ont reçu aucun appel du gouvernement et s'en étonnent. Je contacte tout de suite le Premier ministre pour qu'il leur parle. Et je fais en sorte qu'une voiture de police stationne devant chez eux pour leur sécurité et faire fuir les importuns. Si je peux leur rendre ce service, j'en suis heureuse.

Cette visite, je l'ai un peu oubliée, mais j'ai bien regardé la chambre de mon amoureux, les lieux et les objets de son enfance. C'était tellement étrange de me dire qu'il avait grandi ici, collé ces posters sur le mur, fait ses premiers dessins sur ce bureau… Rien n'a changé depuis son départ du cocon familial. Il y a toujours le lit de 90 centimètres de large, ses cassettes VHS, ses figurines d'adolescent… Comme si le temps s'était arrêté. Ou que l'on refusait que le petit grandisse.

Le samedi suivant, nous nous retrouvons à l'Institut médico-légal, le matin. J'y retournerai, seule, l'après-midi. Le visage dans les mains, je pleure sans pouvoir m'arrêter. Je n'ai que quelques minutes pour lui dire tant de choses, les mots se bousculent : « Merci, merci mon amour, d'avoir appris à May à dessiner », lui dis-je. Je sais que May me posera la question : « Est-ce que tu lui as dit merci pour les dessins ? » Oui, ma fille, je l'ai fait.

On a recouvert son visage abîmé d'un tulle blanc, et je ne peux pas l'embrasser. Alors, je prends sa main, je pose mes lèvres sur sa peau et je ferme les yeux. La peau si douce de ses mains... J'effleure ce corps que j'ai tant aimé en essayant de fixer ce dernier moment pour que je m'en souvienne quand il m'aura quittée définitivement. Je ne réalise rien de ce qui est en train de se passer, lui sur cette table, mort… plus jamais je n'entendrai sa voix… Depuis trois jours, tout est si… irréel. Si la table était plus large, je pourrais m'allonger à ses côtés. Nous qui n'étions que chaleur, baisers et rires, nous voilà face à face dans ce lieu glacé, qu'il détesterait. Et dans quelques minutes, dans quelques secondes, je vais le quitter, lui tourner le dos. Je l'aime tellement, tellement.

À la mine de son frère Laurent que je croise dans la salle, je comprends qu'il n'apprécie pas de me voir ici. J'ai déposé quelques vêtements pour qu'on puisse l'habiller avant l'inhumation. J'aurais aimé venir le voir tous les jours jusqu'à la mise en bière, mais la famille, en publiant un communiqué meurtrier, s'y est opposée de facto. Être là jusqu'au bout, c'était important pour moi. La pensée que mon amour a été seul dans cette pièce glaciale au moment où on a refermé le cercueil sur lui m'est insupportable. Encore aujourd'hui. Bien sûr, cela ne change rien, mais j'aurais pu rester à ses côtés, dormir à même le sol. Je ne voulais pas le laisser seul. Comme s'il avait été dans un hôpital avant son départ définitif. Ces derniers moments que j'aurais pu avoir avec lui, on me les a volés. Comment pourrais-je pardonner ?

Le samedi soir, alors que je grelotte encore d'émotion après cette terrible journée, Laurent Charbonnier fait une déclaration à l'AFP : « Nous démentons formellement l'engagement relationnel de Charb avec Jeannette Bougrab. La famille ne veut plus que Jeannette Bougrab s'exprime au sujet de Charb dans les médias de quelque manière que ce soit. »

Ces mots, je les reçois comme des coups de poignard dans la poitrine. Je n'en reviens pas. Laurent, avec qui j'ai dîné très agréablement dans un restaurant italien, quelques jours plus tôt, dans le quartier Montorgueil, rue Française où vivait Stéphane ! Je ne m'étais donc pas trompée sur son regard énervé à l'IML… « Nous demandons de respecter le deuil de la famille », ajoute-t-il. J'aimerais bien qu'on me dise en quoi je ne le respecte pas, mais je me passerai de réponse puisqu'on ne veut plus me parler. En attendant, je ne peux plus aller voir Stéphane à l'Institut médico-légal, et ils ont fini de m'assassiner. Je voulais jusqu'au bout accompagner mon chéri, jusqu'au moment où on refermerait le cercueil.

En quelques heures, je suis passée du statut de compagne incarnant avec lui le combat pour la laïcité à celui d'usurpatrice, de menteuse. Mais je me dis que ça va se calmer, qu'il y a un malentendu, que c'est le chagrin qui égare les esprits… Je ne savais pas de quoi l'entourage de Charb était capable. Je vais l'apprendre à mes dépens, encaissant les coups sans en donner, jusqu'au moment où il m'a bien fallu réagir. Je ne pouvais pas me laisser écraser alors que j'étais déjà à terre.

Mon destin a basculé pour avoir accepté une interview sur BFM avec Ruth Elkrief, à la demande de Richard Malka, avocat de *Charlie Hebdo* depuis des années, qui me prie de parler de Stéphane, lui-même étant à court de mots, de chagrin. Le crime qui me condamne à mort est d'avoir voulu continuer mon combat pour la laïcité et la liberté d'expression, ma lutte contre l'islamisme et osé déclarer que j'aimais Stéphane pour sa douceur, sa gentillesse, sa timidité, loin du portrait de moine-soldat décrit par eux. Mon crime a été d'écorner son image. Eux l'ont décrit comme un queutard sans attaches, sans foi ni loi (n'oublions pas que les gens de *Charlie* sautent sur tout ce qui bouge, c'est bien connu !). Certains ont même dit qu'il était gay. Tout était bon, sauf moi ! Pas de pièce rapportée dans le clan. La Juliette des harkis et le Roméo des cocos, ce n'était pas banal, mais on n'en a pas voulu. Il me semblait qu'en France, le temps où les parents et les amis imposaient le choix d'une compagne était révolu… Visiblement, non.

Ensuite, tous se passent le relais : Patrick Pelloux me demande de me taire alors qu'il est partout dans les médias ! Lui qui appelait Charb tard le soir pour tromper le temps pendant ses permanences aux urgences, sans se douter que « son frère » était avec moi… Charb était discret sur sa vie privée, et je comprends pourquoi aujourd'hui, quand je vois les réactions hostiles envers moi.

Puis une « collaboratrice » de *Charlie*, Sylvie Coma, m'accuse de « viol posthume » et me conseille d'aller me faire soigner ! Ces mots, cette dureté... mais que leur ai-je fait ? Autant de haine parce que j'ai aimé leur frère, leur fils, leur patron, leur ami ? Alors qu'on devrait tous se serrer les coudes dans de tels moments. Est-ce qu'ils ne se trompent pas de cible ? En quelques heures, je suis devenue leur point de fixation.

Mais que se passe-t-il ? J'ai droit à une lapidation par voie de presse de la part de sa famille et de ses amis. Une chasse à la femme, une mise à mort. Des gens pour qui je n'ai aucune estime particulière me traînent dans la boue, comme si j'étais le diable en personne. Tout le monde peut prendre la parole pour dire sa peine, sa colère, moi, non. Je suis niée dans ce que je ressens au plus profond. Interdite d'être sincère. Pour une fois que j'étais presque apprivoisée, voilà que l'entourage me tombe dessus ! J'ai l'impression d'avoir plus de facilité à me battre contre les préjugés, les stéréotypes de mes parents nés en Algérie, que contre ces Français qui sont, pour la plupart, de ma génération.

Le mal est fait et il est irréversible. À vous dégoûter du genre humain. Pour la première fois, je marche tête baissée dans la rue. J'ai honte qu'on me crache dessus, honte qu'on ne croie pas en cet amour Que craignent-ils ? Qu'à travers leur chef bien-aimé, je cherche un supplément d'existence ? Que je sois intéressée par l'argent ? Nous sommes aussi peu fortunés l'un que l'autre. La notoriété ? J'ai fait mon chemin et mes preuves avant de connaître Charb et je ne cours pas après la célébrité. J'avoue que, ces derniers jours, je m'en serais même bien passée...

Ceux de ses amis qui savent pour Charb et moi et qui nous ont souvent vus ensemble se taisent. Parmi eux, Éric Portheault, avec lequel j'avais pourtant organisé des rendez-vous avec David Kessler, ancien conseiller culture de François Hollande, ou Mickaël Fribourg, à l'origine de l'amendement Charb, étant donné que *Charlie Hebdo* perdait alors 400 000 euros. Laurent Léger qui nous avait accompagnés chez le secrétaire général de l'Élysée, Pierre-René Lemas, n'avait-il pas vu que nous nous étions embrassés sur le trottoir de la rue du Faubourg-Saint-Honoré avant de nous quitter ? Quant à Éric Jean-Jean, présent à nos côtés au réveillon de Bénabar, le 31 décembre dernier, il écrivit sur les réseaux sociaux qu'il avait vu « la femme que Charb aimait ». Quelques heures plus tard, il retira son tweet.

Seule Caroline Fourest prend ma défense et se fait injurier par les gens de *Charlie Hebdo* pour avoir osé rompre l'omerta ! L'ambassadeur pakistanais à Paris, lui, m'adresse un très gentil mot de condoléances... Et Nicolas Sarkozy, qui déteste les faibles, m'appelle pour me requinquer : « Protège-toi, me répète-t-il à plusieurs reprises. Nous t'aimons. »

Les hommes et les femmes agissent comme des girouettes, selon la direction du vent. Et le vent a tourné. Celle qu'on aimait est devenue une sorcière, et les sorcières, on les brûle... « Notre amour ne regarde personne... », me répétait Stéphane. Se sachant menacé par ces dingues de la kalachnikov, il voulait nous protéger, ma fille et moi, et j'étais d'accord avec lui. Je constate aujourd'hui que c'était surtout de son entourage qu'il voulait nous préserver. Un entourage possessif, exclusif, intolérant, un clan d'aboyeurs qui ont voulu salir notre histoire.

À Lahore, au Pendjab, Farzana Parveen, vingt-cinq ans, enceinte de trois mois, a été lapidée à coups de briques en plein jour, devant le tribunal. Elle venait témoigner qu'elle n'avait pas été enlevée par son mari, comme l'en accusaient ses parents, mais qu'elle épousait celui qu'elle aimait contre l'avis familial. Le père, les frères et les cousins de Farzana Parveen, une trentaine de personnes en tout, l'ont attendue à la sortie du tribunal et l'ont assassinée devant son mari. Le crime s'est déroulé sous les yeux de la police qui n'est pas intervenue.

Certes, je suis en vie, contrairement à cette pauvre Farzana, et me concernant, la lapidation fut symbolique mais non virtuelle, car j'ai ressenti dans ma chair chaque jet de pierre.

Je ne suis pas allée à son enterrement dont la cérémonie fut, semble-t-il, digne des grandes heures du parti communiste. J'aurais tellement aimé l'accompagner jusqu'au bout. Mais j'ai imaginé les regards sur moi, la méchante femme, ceux qui seraient venus me saluer, ou qui m'auraient tourné le dos... Puisque je n'étais pas la bienvenue, autant m'en abstenir.

En revanche, mes parents, dont les graves problèmes de santé sont plus préoccupants que mes malheurs, m'ont témoigné une empathie rare, en particulier papa dont le geste d'une grande noblesse me remplit encore les yeux de larmes lorsque j'y pense. Deux jours avant l'enterrement de Charb, il décide, ce qu'il ne fait jamais, d'accompagner ma mère pour sa chimio à Gustave-Roussy, afin de me voir et de me présenter ses condoléances. Il a mis son plus beau costume, celui des cérémonies militaires. Papa est porte-drapeau. Dans nos familles arabes, on ne parle pas de nos histoires d'amour. On ne présente à ses parents que celui avec qui on va se marier. La pudeur et le respect envers ses parents sont des règles immuables que j'ai toujours respectées. Papa ne connaissait pas Charb. Et pourtant il a fait trois cents kilomètres pour être à mes côtés dans ce tsunami qui dévaste ma vie.

Je n'étais pas à Gustave-Roussy ce jour-là. L'unique fois où j'ai manqué la chimio de maman, terrassée que j'étais par le chagrin. D'apprendre que mon père était venu exprès à Paris pour moi m'a bouleversée. Sa compassion m'a aidée à relever la tête. Dans cette épreuve si dure, mes parents étaient là. À leur manière, humbles et déférents.

Quand elle apprit la mort de Charb, maman eut une drôle de réaction : « C'est pas grave ! De toute façon, il serait peut-être parti avec une autre… une plus jeune ! » Malgré ma peine, j'avais souri. « Tu es horrible, maman… » Mais je la connaissais : c'était sa manière un peu rude de me dire que la vie continuait, que j'allais m'en sortir. Qu'elle-même avait traversé beaucoup d'épreuves et qu'elle était toujours là. Malgré tout, je ne suis pas sûre de l'avoir bien entendue ce soir-là…

L'homme du reste de ma vie.

« L'homme du reste de ma vie… », c'est ainsi que j'avais appelé Charb. Pour nous, ces mots avaient un sens. À quarante-sept et quarante et un ans, nous avions joyeusement arpenté nos vies amoureuses respectives, et nous arrivions à un âge où l'on a envie de se poser, peut-être même de consolider une histoire d'amour. C'était vrai pour moi, c'était vrai pour lui.

Quand j'ai perdu mon amour, j'ai pu voir l'effrayante bestialité de la nature humaine, des femmes et des hommes portés par un instinct primaire de destruction. J'ai tout fait pour me soustraire à ces insultes, je les entends toujours, elles me poursuivent, elles me hantent.

Terrassée par le chagrin, j'ai été contrainte de divulguer ma vie privée, des photos, des vidéos, et je m'en veux, mais j'étais démolie par ces accusations. Si j'avais eu toute ma tête, je ne l'aurais pas fait. Heureusement, Hervé Temime, un avocat remarquable et d'une humanité rare, a pris les choses en main. Le lendemain du communiqué de Laurent Charbonnier à l'AFP, il m'envoie chez un huissier où je passe cinq heures à consigner ma correspondance avec Charb, nos SMS

– plusieurs centaines – et des dessins pour May comme preuves tangibles de notre amour sincère et profond. Puisque certains affirment qu'il n'existe pas.

Ma fille de trois ans m'a accompagnée et elle tombe de sommeil. Je l'allonge sur la moquette à même le sol et je me serre contre elle. Dans l'autre pièce, l'huissier enregistre sur un dictaphone les mots de notre intimité. Je n'en reviens pas : comment en suis-je arrivée là ?

Quelques jours après le drame, l'officier de sécurité de Charb me demande de restituer les objets lui appartenant, à commencer par la clé de son appartement La clé ? Je ne l'ai pas, je ne l'ai jamais eue et qu'en aurais-je fait ? Nous passions toutes nos soirées chez moi pour que May soit dans son environnement et proche de son école. Quant aux objets, tient-il vraiment à récupérer la brosse à dents que Charb laissait sur l'étagère de ma salle de bain ? Dois-je restituer le panda qu'il avait offert à May pour Noël ou la batte de base-ball sur laquelle il avait écrit « Bougrab, faut pas la chercher » ? Ou bien le bouddha japonais dont il avait agrandi ma collection et le globe terrestre-lampe de chevet qu'il avait donné à ma fille ? Pour qui cherche-t-on à me faire passer ? Pour l'Arabe, la voleuse ? Comment peut-on faire subir cela à quelqu'un ? Je suis dans le chagrin d'avoir perdu celui que j'aimais et eux sont dans la haine de moi…

Sa famille, ses amis m'ont tellement humiliée que j'en suis arrivée à me demander si ma relation avec Charb, je ne l'avais pas imaginée. Des jours durant, je me suis posé la question. Moi-même, parfois, j'ai douté de son amour. J'ai été en colère contre lui. Je l'ai rejeté. Mais il suffit de relire notre correspondance au quotidien, cette infinie tendresse que nous nous exprimions tout au long de la journée, pour comprendre que cet homme m'a vraiment aimée, pour ce que je suis et sans vouloir me changer. Il était mon tout et j'étais le sien.

Dans l'un de ses derniers SMS, il écrit : « Je t'aime évidemment ! Tu es celle qui me permet de me lever le matin et de m'endormir le soir, amour. Le concert est chiant. Pelloux est avec moi et va tomber de sommeil. Belle nuit, chérie. »

Le lendemain, trois heures avant de mourir : « Je t'aime mon amour. »

Et l'on m'accuse de viol posthume ? D'avoir fantasmé cette histoire ? Qui peut s'arroger le droit de décider après la mort de Charb que notre relation était une chimère, et même « un plan cul », ainsi qu'on a osé la qualifier ?

On a voulu me salir et, pire, salir notre relation et, ça, jamais je ne le pardonnerai. Mais c'est allé au-delà, c'était une mise à mort symbolique.

J'ai repoussé jusqu'au dernier moment l'annonce de la nouvelle à May, ce que je fais plusieurs jours après la mort de Stéphane, à mon retour du Val-de-Grâce où je suis allée reprendre quelques forces. « Je suis triste alors... Il va revenir... », répète-t-elle en me montrant leurs derniers dessins. Elle n'a pas vraiment compris. Pour tenter de dédramatiser l'événement, je lui explique que Mozart et Bach sont morts eux aussi. May adore écouter Mozart. La nouvelle la surprend beaucoup. « Il est mort ? me demande-t-elle. Oui, May, il est mort. – Et Charb aussi ? – Oui, il est dans le ciel. – Il va redescendre ? – Non, non, il ne redescendra pas. »

Elle n'a que trois ans, la vie le lui arrache alors qu'ils s'aimaient. Il ne cessait de la croquer dans ses dernières esquisses de travail. Et il voulait faire une BD avec un nouveau petit personnage incarné par May que nous appelions « Pol Pot » en raison de son despotisme hérité de moi. Comment ne pas prendre toutes ses démonstrations de tendresse au sérieux ?

Oui, j'ai dit que j'aurais préféré mourir et que Charb vive, mes mots ont été interprétés comme un excès de pathos. Les gens ne savent pas que chez nous, lorsqu'on perd un être cher, on nous ôte la vie, et qu'on préférerait s'arracher le cœur de la poitrine si cela pouvait redonner la vie à l'autre. Mes parents m'ont aimée de manière inconditionnelle, ils ne vivaient que pour leurs enfants, dans le sacrifice. Je ne peux aimer qu'ainsi. Alors, je le redis : je m'arracherais le cœur si cela pouvait sauver celui que j'aime. Je donnerais mille fois ma vie pour que celui que j'aime soit toujours vivant. Je me moque de ce que les autres peuvent penser.

2 janvier à 14 h 12 :

J. : Mon amour adoré, je n'arrive pas à croire que ce bonheur nous arrive.

C. : Si ! Celui-là de bonheur, il est à nous ! Et rien qu'à nous.

Il avait raison : ce bonheur était à nous, rien qu'à nous. Ils auront beau faire, personne ne nous l'enlèvera. Avec Charb, j'avais trouvé l'homme qui faisait écho à ma personnalité, à mon indépendance, un alter ego qui m'aimait sincèrement, avec ma folie, mes doutes, mes coups de gueule. Et qui savait recevoir ma tendresse. Ce qui n'est pas si courant. Doucement, discrètement, il avait fait tomber mes résistances. Nous avancions l'un à côté de l'autre, sans nous presser puisque nous avions toute la vie... Nous avons même oublié la violence terroriste, qui me rappelle inévitablement celle qu'ont vécue mes parents en Algérie, où d'autres fous tentèrent de massacrer la liberté d'expression, la liberté de penser.

Mon père a eu sa famille égorgée par les terroristes du FLN et n'a jamais été remercié par la France pour son engagement auprès d'elle. D'avoir vu Charb abattu par des terroristes tout aussi sanguinaires, faute, pour notre République, de ne pas avoir pris la mesure de la tyrannie des nouveaux terroristes de l'islamisme, et d'avoir été traînée ainsi dans la boue, je ressens la même trahison que celle vécue par papa. J'ai eu le sentiment d'avoir été rejetée, abandonnée par un pays entier. Je devenais à mon tour harki.

Mais, contrairement à lui, j'ai décidé de m'éloigner de ma terre natale que j'ai haïe un instant.

Conclusion

« Qu'importe de gagner ou de perdre,
qu'importe de sombrer ou de surnager,
plutôt mourir que se soumettre à la tyrannie. »

Andrew Marvell, *Ode à Cromwell*

Il y a presque quatre-vingts ans, après avoir vaincu l'abomination nazie et la barbarie des totalitarismes, les nations libres votèrent, lors d'une Assemblée générale extraordinaire des Nations unies, la Déclaration universelle des droits de l'homme. Cette déclaration fut perçue comme un grand phare illuminant d'espérance les millions de femmes et d'hommes n'ayant connu que la guerre ou la domination coloniale. Cette résolution est venue comme une aube joyeuse terminer la longue nuit de leur oppression par le monde des hommes.

Cette déclaration est directement inspirée de la Révolution française et notamment de la Déclaration des droits de l'homme et du citoyen du 26 août 1789. Cette influence n'est guère surprenante car son maître d'œuvre fut le résistant français René Cassin, prix Nobel de la paix. Elle consacre des droits fondamentaux comme l'égalité entre les femmes et les hommes.

Or, quatre-vingts ans après ce vote solennel ce texte qui devrait faire consensus est remis en cause. Des États estiment qu'il privilégie une vision occidentale des droits et libertés, ignorant les spécificités culturelles et religieuses de certains d'entre eux. Ces États avancent comme argument qu'à l'époque, étant encore sous domination coloniale, ils n'ont pas participé au vote de cette déclaration. Celle-ci devrait donc être refondue pour respecter des conceptions plurielles en matière de droits et libertés publiques, en particulier le droit inspiré par la charia qui instaure un principe d'inégalité entre les femmes et les hommes. On s'en prend ainsi à ce qui devrait constituer un socle de principes fondamentaux incontestables !

Cette bataille dépasse le cadre de l'hémicycle onusien puisque des groupes terroristes tentent d'instaurer par la violence un régime théocratique. Ils incarnent de nouvelles formes de totalitarisme, dans la funeste lignée du nazisme allemand.

Serons-nous capables, comme en 1949, de nous réunir, de rédiger et de tenir pour défendre ce socle commun des droits fondamentaux propres à notre humanité ?

Je n'en suis pas convaincue car quatre-vingts ans après le vote de la Déclaration universelle des droits de l'homme, la femme n'est toujours pas libre. Quatre-vingts ans plus tard, la femme n'est toujours pas l'égale de l'homme. Quatre-vingts ans plus tard, la femme demeure une éternelle mineure entravée par les menottes du patriarcat et les chaînes de la discrimination. Quatre-vingts ans plus tard, la femme se trouve reléguée à un rang de citoyenne de seconde zone. Quatre-vingts ans plus tard, la femme vit souvent dans une île solitaire de pauvreté au milieu d'un vaste océan de prospérité matérielle dirigé par des hommes. Quatre-vingts ans ont passé et la femme croupit encore dans les marges de sociétés conduites par les hommes, comme des exilées dans leur propre pays…

Ces lignes, je les ai rédigées en reprenant les premières phrases du discours prononcé par le pasteur Martin Luther King à Washington D.C., le 28 août 1963, au terme d'une marche réunissant deux cent cinquante mille personnes pour dénoncer la ségrégation raciale aux États-Unis. C'est étrange, je n'ai eu qu'à changer les mots « Noir » par « femme ». Ce célèbre discours demeure donc d'une terrible actualité.

Il n'y aura ni repos ni tranquillité sur cette terre tant que nous n'aurons pas accordé aux femmes leurs droits de citoyens. Les tourbillons de la révolte ne cesseront d'ébranler les fondations du monde jusqu'à ce que le jour éclatant de la justice apparaisse.

J'ai décidé d'écrire pour exposer cette honteuse situation et pour crier les urgences de l'heure présente. Ce n'est pas le moment de laisser tiédir notre ardeur ou de prendre des demi-mesures : le kidnapping des lycéennes au Nigeria ou le martyre des jeunes Yézidies nous commandent de tenir enfin les promesses des Lumières. De rendre justice aux millions de petites filles qui, comme leurs mères et leurs grands-mères avant elles, en sont privées.

Pourtant, la majorité des Françaises et des Français vivent heureux et insouciants. Certes, l'ambiance générale est morose en raison de la crise économique qui frappe le pays depuis quelques années. Même si je reconnais que la montée des partis populistes en France, parallèlement à celle de l'abstention, montre la désillusion des citoyens face aux politiques incapables de trouver des solutions adéquates aux problèmes : chômage, échec scolaire, sentiment d'insécurité.

Mais pessimisme ne signifie pas réalisme. Les élites ont préféré se couvrir les yeux plutôt que de prendre la mesure des conséquences désastreuses de l'abandon de notre modèle républicain. Ce dernier avait pourtant montré sa capacité à redistribuer équitablement les revenus, faisant ainsi fonctionner l'ascenseur social. Je fus l'une de celles qui en bénéficièrent.

L'arrogance française, y compris le lendemain des attentats meurtriers, me scie. Comment la France peut-elle prétendre montrer la voie aux autres ? Quelle leçon avons-nous à donner lorsque l'on découvre sur une vidéo du groupe État islamique que l'adolescent exécutant d'une balle dans la tête un homme accusé de travailler pour Israël est un petit Français de douze ans, reconnu par ses camarades du quartier du Mirail à Toulouse ? Sommes-nous aveugles au point de ne pas avoir pris la mesure de la monstruosité des actes ? Sommes-nous stupides d'avoir pensé qu'ils ne pourraient pas se reproduire ?

En son temps, Stefan Zweig avait fui son pays natal, l'Autriche, chassé par le nazisme, pour l'Angleterre puis le Brésil. Retraçant la chronologie des événements de la fin du XIXe siècle jusqu'au début de la

Seconde Guerre mondiale, il montre que le suicide européen était prévisible. Il regrette que les prémisses de cette tragédie de la Shoah n'aient pas alerté les gouvernants : « Cela reste une loi inéluctable de l'histoire : elle défend précisément aux contemporains de reconnaître dès leurs premiers commencements les grands mouvements qui déterminent leur époque. C'est ainsi que je me suis rappelé, quand j'ai entendu pour la première fois le nom d'Adolf Hitler, ce nom que nous nous voyons à présent obligés depuis des années de penser ou de prononcer chaque jour, presque chaque seconde, à propos de quelque conjoncture, le nom de l'homme qui a apporté plus de calamités dans notre monde qu'aucun autre au cours des âges[1]… »

Ma crainte, pour ne pas dire ma peur, ma terreur est que les prémisses sont là et visibles, ils nous sautent même aux yeux et pourtant nous n'en tirons aucune conséquence. Reprenons juste la récente chronologie des événements en France ces trois dernières années pour en faire la démonstration :

En janvier 2006, un jeune homme du nom d'Ilan Halimi est enlevé, torturé et assassiné par le « gang des Barbares », première manifestation d'un antisémitisme renaissant.

Le 9 mars 2012, un jeune Français du nom de Mohammed Merah pénètre dans une école Ozar Hatorah, à Toulouse. Il tue un enseignant, Jonathan Sandler, et ses deux enfants, Gabriel, trois ans, et Aryeh, six ans, ainsi qu'une petite fille, Myriam

1. Stefan Zweig, *Le Monde d'hier*, Livre de poche, p. 418.

Monsonégo. Alors qu'elle s'enfuit, Merah la rattrape par les cheveux. Elle crie, terrorisée par le forcené qui l'exécute d'une balle à bout portant sans trembler un instant devant la cruauté de son acte. Deux jours auparavant, il avait abattu des militaires revenus d'Afghanistan.

Le 24 mai 2012, comme le monde entier a pu le découvrir dans les médias, le Français Mehdi Nemmouche se rend au musée juif à Bruxelles. Il entre muni d'un revolver et tue quatre personnes. L'attaque ne dure que quatre-vingt-dix secondes, quatre-vingt-dix secondes qui coûtent la vie à quatre personnes.

Le 7 janvier 2015, les frères Kouachi pénètrent munis de kalachnikovs dans les locaux d'un journal satirique et tuent douze personnes.

Deux jours plus tard, Amedy Coulibaly pénètre armé dans une supérette, l'Hyper-Cacher, porte de Vincennes à Paris, et abat quatre personnes.

Avant, il y eut le 11 septembre 2001 (2 977 morts et des milliers de blessés), les attentats à Madrid (191 morts, 1 400 blessés), Nairobi (68 morts et 200 blessés), Londres (56 morts et 700 blessés), Alger (12 morts et 135 blessés), Marrakech (17 morts et 20 blessés), Istanbul (58 morts), Bagdad. Pour le seul 14 août 2007 contre les Yézidis, 796 morts et 1 500 blessés…

Les prémisses sont là. J'ai tenté d'alerter à travers des écrits et des conférences sur la gravité du phénomène de radicalisation de jeunes musulmans, pour certains récemment convertis. Mais on a parfois la terrible impression que les gens s'habituent aux violations des droits les plus fondamentaux, même quand cela concerne des enfants que l'on n'hésite pas à former dans des camps d'entraînement pour commettre de futurs attentats.

De manière égoïste, ayant trouvé l'homme du reste de ma vie, je l'ai supplié de quitter la France avec moi. Je lui disais que nous pourrions vivre au Canada ou en Nouvelle-Zélande. J'étais convaincue d'une catastrophe imminente sans pouvoir en dessiner les traits. Je ne me trompais pas. Mais je n'imaginais pas qu'elle m'arracherait aussi brutalement celui que j'avais mis une vie à rencontrer et que je voulais aimer le restant de mes jours.

Je voulais partir car je ne supportais plus les supplices commis par ces fanatiques au nom de la religion musulmane. Mon amour allait en être victime. Il a été tué avec des armes de guerre pour avoir défendu l'esprit voltairien. Pour moi, il n'est d'autre blasphème que la violence. Elle ne cesse de progresser et j'entends que certains trouvent encore des excuses aux auteurs de ces actes ! Le titre d'un article sur le site de RFI n'était-il pas : « L'enfance malheureuse des frères Kouachi » ?...

Depuis des années, j'explique que nous sommes dans une période pré-insurrectionnelle telle que celle que nous avons connue dans l'entre-deux-guerres, avec la montée de partis populistes de droite comme de gauche. L'Europe n'est plus ce rempart idéalisé contre les fascismes. La preuve, au Parlement européen, ont été élus, démocratiquement, des députés néonazis. On a dérobé le rêve de Jean Monnet et de Robert Schuman.

Les derniers attentats ont profondément modifié la donne. Nous sommes sortis de la période pré-insurrectionnelle pour entrer en guerre, une guerre d'une nature nouvelle que l'on ne gagnera ni avec un arsenal nucléaire ni en organisant des colloques. Le dimanche 15 février, l'État islamique a mis en ligne une vidéo montrant la décapitation de vingt et un chrétiens égyptiens enlevés en Libye. La veille, au Danemark, lors d'un débat dont le thème était « L'art, le blasphème et la liberté d'expression » avec, entre autres, le dessinateur suédois Lars Vilks, auteur d'une caricature du Prophète au corps de chien, un terroriste a abattu un homme et blessé trois personnes.

On le voit, de Paris à Copenhague, un sentiment d'insécurité commence à se répandre dans toute l'Europe. Combien de temps allons-nous continuer à vivre normalement après tant d'atrocités ?

Il est possible de sortir de cet enfer. La feuille de route existe. Elle a été tracée par Winston Churchill, le 13 mai 1940, lorsqu'il exposa devant le Parlement britannique les termes du combat à venir contre le nazisme. Des termes qui conservent toute leur brûlante actualité dans la lutte nouvelle contre la menace islamiste : « Nous avons devant nous des mois et des mois de lutte et de souffrance (...) La seule politique à mener, c'est la guerre avec toute notre force et notre volonté (...) C'est une guerre contre une monstrueuse tyrannie qui, dans le sombre et lamentable catalogue des crimes humains, n'a jamais été dépassée (...) Je n'ai rien à offrir que du sang, du labeur, des larmes et de la sueur. »

Le but d'une telle politique guerrière est la victoire, la victoire à tout prix, la victoire en dépit de la terreur, car sans victoire il n'y aura pas de survie, les nouveaux totalitarismes détruiront le socle universel des droits et libertés des personnes – et en premier lieu des femmes et des minorités religieuses.

Nous aurons donc à répondre pour non-assistance à personne en danger. L'égalité et la liberté ne sont pas négociables. Leur ennemi juré porte un nom, il s'appelle islamisme et il est plus dangereux que le nationalisme de l'entre-deux-guerres.

Il y a dix ans, le général américain Petraeus, chef des armées en Afghanistan, écrivait : « Si l'on peut souvent venir à bout d'insurgés nationalistes par la négociation, on ne maîtrise généralement les fanatiques religieux qu'en les emprisonnant ou en les tuant. La tactique du terrorisme kamikaze, utilisant des explosifs de plus en plus puissants, a considérablement accru la précision et les dégâts que peuvent infliger les insurgés d'aujourd'hui… Les vidéos créées et aussitôt mises en ligne sur le cyberespace servent de campagnes de recrutement, de levées de fonds et d'opérations de propagande. »

Oui, c'était il y a dix ans… L'imagination de ces terroristes est toujours aussi fertile. À présent, ils utilisent des enfants comme explosifs. Le 10 janvier 2015, dans le nord-est du Nigeria, une fillette de sept ans, ceinturée d'explosifs, a tué sept personnes dans un marché bondé de la ville de Potiskum.

Cet exemple n'en est qu'un parmi d'autres de cette fureur qui s'abat sur nous à coups de vidéos postées sur le Net, de femmes vendues sur un marché aux esclaves après avoir été violées par leurs geôliers, de journalistes à genoux décapités, d'enfants mutilés…

Moi, le vilain petit canard à la vie cabossée, portant l'héritage d'une mère maltraitée parce que née fille, je me suis transformée en une guerrière prête à mener des batailles qui pourront me conduire à presque tout perdre, à l'exception de mes convictions. Mais avant de reprendre la bataille, j'ai décidé de prendre le large.

Pour la première fois, je quitte ma terre natale pour vivre dans des terres de glace. Déjà, dans mon entourage, certains me reprochent de vouloir quitter la France. « C'est une lâcheté », « une désertion », me dit-on. Mais après l'horreur que j'ai vécue dans ma chair en perdant l'homme que j'aimais et ma mère étant sur le point de s'éteindre, je ressens le besoin de m'exiler un temps. Ma vie, ma famille, mes amis, mon travail, l'école de mon enfant sont pourtant ici. Mais je ne supporte plus Paris alors que j'aime éperdument cette ville. Tout me ramène à lui, ses livres réédités à la va-vite sur les rayonnages des librairies, surfant sur l'émotion suscitée par l'attentat du 7 janvier pour gagner le maximum d'argent.

L'horizon s'est assombri depuis sa mort. Alors je vais voyager loin en conservant à l'esprit les temps heureux et en pensant aux combats à livrer. Churchill, grand dépressif, torturé par ses démons, par son « *black dog* » comme il disait, trouva l'énergie, à plus de soixante-dix ans, pour gagner la guerre, pas n'importe laquelle, la Seconde Guerre mondiale. Une nouvelle guerre a commencé pour nous.

Où que je sois, j'en serai, j'en fais la promesse.

Table

DU MÊME AUTEUR

Ma République se meurt
Grasset, 2013

Les discriminations positives :
coup de pouce à l'égalité ?
Dalloz, 2007

Aux origines de la Constitution
de la IVe République
Dalloz, 2002

Composition Nord Compo
Impression CPI Bussière en avril 2015
Éditions Albin Michel
22, rue Huyghens, 75014 Paris
www.albin-michel.fr
ISBN : 978-2-226-31668-4
N° d'édition : 21461/01 – N° d'impression : 2014833
Dépôt légal : mai 2015
Imprimé en France